中华人民共和国国家标准

水土保持工程设计规范

Code for design of soil and water
conservation engineering

GB 51018-2014

主编部门：中 华 人 民 共 和 国 水 利 部
批准部门：中华人民共和国住房和城乡建设部
施行日期：2 0 1 5 年 8 月 1 日

中国计划出版社

2014 北 京

中华人民共和国国家标准
水土保持工程设计规范
GB 51018 - 2014

☆

中国计划出版社出版发行
网址：www.jhpress.com
地址：北京市西城区木樨地北里甲 11 号国宏大厦 C 座 4 层
邮政编码：100038　电话：(010) 63906433（发行部）
北京市科星印刷有限责任公司印刷

850mm×1168mm　1/32　7.75 印张　198 千字
2015 年 7 月第 1 版　2024 年 12 月第 9 次印刷

☆

统一书号：1580242·684
定价：47.00 元

版权所有　侵权必究
侵权举报电话：(010) 63906404
如有印装质量问题，请寄本社出版部调换

中华人民共和国住房和城乡建设部公告

第589号

住房城乡建设部关于发布国家标准《水土保持工程设计规范》的公告

现批准《水土保持工程设计规范》为国家标准,编号为GB 51018—2014,自2015年8月1日起实施。其中,第7.1.5、12.2.2(2)条(款)为强制性条文,必须严格执行。

本规范由我部标准定额研究所组织中国计划出版社出版发行。

中华人民共和国住房和城乡建设部
2014年12月2日

前　　言

本规范是根据原建设部《关于印发〈二〇〇四年工程建设国家标准制订、修订计划〉的通知》(建标〔2004〕67号)，由水利部水利水电规划设计总院和黄河勘测规划设计有限公司会同有关单位共同编制完成。

本规范的编制过程中，编制组进行了广泛的调查研究，认真总结我国各地区以及相关行业水土保持工程设计的经验，吸收了国内有关弃渣场防护、坡耕地治理等工程设计的先进成果，并在广泛征求意见的基础上，最后经审查定稿。

本规范共19章和3个附录，主要技术内容包括：总则，术语，基本规定，水土流失综合治理工程总体布置，工程级别划分和设计标准，梯田工程，淤地坝工程，拦沙坝工程，塘坝和滚水坝工程，沟道滩岸防护工程，坡面截排水工程，弃渣场及拦挡工程，土地整治工程，支毛沟治理工程，小型蓄水工程，农业耕作措施，固沙工程，林草工程，封育工程等。

本规范中用黑体字标志的条文为强制性条文，必须严格执行。

本规范由住房和城乡建设部负责管理和对强制性条文的解释，由水利部国际合作与科技司负责日常管理，水利部水利水电规划设计总院负责具体技术内容的解释。在执行本规范的过程中，请各单位注意总结经验、积累资料，将有关意见和建议反馈给水利部水利水电规划设计总院(地址：北京市西城区六铺炕北小街2-1号，邮政编码：100120，E-mail：jsbz@giwp.org.cn)，以供今后修订时参考。

本规范主编单位、参编单位、主要起草人和主要审查人：

主　编　单　位：水利部水利水电规划设计总院

黄河勘测规划设计有限公司

参编单位：长江流域水土保持监测中心站
内蒙古自治区水利水电勘测设计院
黑龙江农垦勘测设计研究院
陕西省水土保持局
辽宁省水利水电勘测设计研究院
黄河上中游管理局西安规划设计研究院
长江勘测规划设计研究有限责任公司
中水珠江规划勘测设计有限公司
贵州省水利水电勘测设计研究院
河北省水土保持工作总站
浙江省水利水电勘测设计院

主要起草人：王治国　史志平　纪　强　杨伟超　韩凤翔
于铁柱　夏广亮　刘利年　王宝全　朱党生
王白春　李晓凌　李世锋　廖建文　袁　宏
郭志全　罗代明　王　晶　桂慧中　贾立海
陈松滨　朱莉莉　张　曦　苏芳莉　姜圣秋
周宗敏　贺康宁　阮　正　徐成剑　梁升起
潘　宣　任青山　李雪鹏　邓民兴　孟繁斌
颜凡尘　闫俊平　喻　斌　张　剑　张　霞
陈三雄　林晓纯　黄家文　王正呆　张建波
周利军

主要审查人：马毓淦　焦居仁　马会领　王小毛　王忠和
王　莹　左长清　刘光振　孙保平　孙胜利
李　健　张先明　张　芃　林凤友　陈宗伟
姚芝茂　费永法　桑翠江　常丹东　蔡继清
操昌碧

目　　次

1 总　　则 …………………………………………………（1）
2 术　　语 …………………………………………………（2）
3 基本规定 …………………………………………………（4）
4 水土流失综合治理工程总体布置 ………………………（5）
　4.1 一般规定 ……………………………………………（5）
　4.2 分区基本要求 ………………………………………（5）
5 工程级别划分和设计标准 ………………………………（9）
　5.1 梯田工程 ……………………………………………（9）
　5.2 淤地坝工程 …………………………………………（12）
　5.3 拦沙坝工程 …………………………………………（13）
　5.4 塘坝和滚水坝 ………………………………………（16）
　5.5 沟道滩岸防护工程 …………………………………（18）
　5.6 坡面截排水工程 ……………………………………（20）
　5.7 弃渣场及拦挡工程 …………………………………（20）
　5.8 土地整治工程 ………………………………………（24）
　5.9 支毛沟治理工程 ……………………………………（25）
　5.10 固沙工程 …………………………………………（26）
　5.11 林草工程 …………………………………………（27）
　5.12 封育工程 …………………………………………（30）
6 梯田工程 …………………………………………………（31）
　6.1 一般规定 ……………………………………………（31）
　6.2 断面设计 ……………………………………………（32）
　6.3 埂坎植物设计 ………………………………………（36）
　6.4 田间道路设计 ………………………………………（36）

6.5 施工组织 ………………………………………………… (37)

7 淤地坝工程 …………………………………………………… (38)
7.1 一般规定 ………………………………………………… (38)
7.2 坝址、坝型和工程布置 ………………………………… (38)
7.3 坝体设计 ………………………………………………… (39)
7.4 溢洪道设计 ……………………………………………… (44)
7.5 放水建筑物设计 ………………………………………… (47)
7.6 地基及岸坡处理 ………………………………………… (51)
7.7 施工组织 ………………………………………………… (51)

8 拦沙坝工程 …………………………………………………… (53)
8.1 一般规定 ………………………………………………… (53)
8.2 工程布置 ………………………………………………… (53)
8.3 坝址坝型选择 …………………………………………… (53)
8.4 规模确定 ………………………………………………… (54)
8.5 坝体设计 ………………………………………………… (55)
8.6 溢洪道设计 ……………………………………………… (57)
8.7 施工组织 ………………………………………………… (57)

9 塘坝和滚水坝工程 …………………………………………… (58)
9.1 一般规定 ………………………………………………… (58)
9.2 工程布置 ………………………………………………… (58)
9.3 坝址坝型选择 …………………………………………… (59)
9.4 规模确定 ………………………………………………… (59)
9.5 坝体设计 ………………………………………………… (61)
9.6 泄洪消能及放水设施 …………………………………… (64)
9.7 地基及岸坡处理 ………………………………………… (65)
9.8 施工组织 ………………………………………………… (65)

10 沟道滩岸防护工程 …………………………………………… (67)
10.1 护地堤布置 ……………………………………………… (67)
10.2 丁坝、顺坝布置 ………………………………………… (67)

10.3 生态护岸布置	(68)
10.4 护地堤堤身结构型式	(68)
10.5 丁坝、顺坝结构型式	(70)
10.6 生态护岸型式	(71)
10.7 施工组织	(72)
11 坡面截排水工程	**(73)**
11.1 一般规定	(73)
11.2 工程布置	(74)
11.3 截水沟设计	(76)
11.4 排水沟设计	(77)
11.5 截流沟设计	(78)
11.6 地下排水工程设计	(78)
12 弃渣场及拦挡工程	**(81)**
12.1 一般规定	(81)
12.2 弃渣场设计	(82)
12.3 拦挡工程设计	(89)
12.4 截排洪设计	(94)
13 土地整治工程	**(95)**
13.1 引洪漫地	(95)
13.2 引水拉沙造地	(98)
13.3 生产建设项目土地整治	(100)
14 支毛沟治理工程	**(104)**
14.1 一般规定	(104)
14.2 工程布置	(104)
14.3 沟头防护设计	(105)
14.4 谷坊设计	(107)
14.5 埝带设计	(108)
14.6 削坡设计	(108)
14.7 秸秆填沟设计	(109)

14.8 暗管排水设计 ……………………………………………… (109)
15 小型蓄水工程 …………………………………………… (110)
15.1 一般规定 ……………………………………………… (110)
15.2 工程布置 ……………………………………………… (111)
15.3 水窖设计 ……………………………………………… (112)
15.4 蓄水池设计 …………………………………………… (113)
15.5 沉沙池设计 …………………………………………… (114)
15.6 涝池设计 ……………………………………………… (114)

16 农业耕作措施 …………………………………………… (116)
16.1 一般规定 ……………………………………………… (116)
16.2 改变微地形措施 ……………………………………… (116)
16.3 覆盖措施 ……………………………………………… (119)
16.4 改良土壤措施 ………………………………………… (121)

17 固沙工程 ………………………………………………… (122)
17.1 一般规定 ……………………………………………… (122)
17.2 防风固沙带设计 ……………………………………… (122)
17.3 防风固沙措施设计 …………………………………… (124)

18 林草工程 ………………………………………………… (126)
18.1 一般规定 ……………………………………………… (126)
18.2 工程布置 ……………………………………………… (127)
18.3 立地类型划分 ………………………………………… (128)
18.4 树草种选择 …………………………………………… (128)
18.5 造林整地 ……………………………………………… (129)
18.6 造林方式与植草方式 ………………………………… (129)
18.7 其他规定 ……………………………………………… (130)
18.8 配套工程 ……………………………………………… (132)
18.9 工程施工 ……………………………………………… (132)

19 封育工程 ………………………………………………… (133)
19.1 一般规定 ……………………………………………… (133)

19.2 封育设计 …………………………………………………… (133)
19.3 配套设施 …………………………………………………… (134)
附录 A 水文计算 ………………………………………………… (135)
附录 B 稳定计算 ………………………………………………… (148)
附录 C 工程扰动土地主要适宜树(草)种表 …………………… (155)
本规范用词说明 …………………………………………………… (158)
引用标准名录 ……………………………………………………… (159)
附:条文说明 ……………………………………………………… (161)

Contents

1 General provisions ······································· (1)
2 Terms ··· (2)
3 Basic requirements ······································ (4)
4 Comprehensive control project of soil erosion
   and water loss ·· (5)
   4.1 General requirements ································ (5)
   4.2 Basic requierments of different partition ········ (5)
5 Engineering level divide and design standards ······ (9)
   5.1 Terrace works ·· (9)
   5.2 Check dam works for farmland forming ········· (12)
   5.3 Sediment trapping dam works ····················· (13)
   5.4 Pond and overflow dam works ···················· (16)
   5.5 Gully and beach protcetion works ················ (18)
   5.6 Flood intercepting drain works ···················· (20)
   5.7 Residues disposal area and tailing hold works ····· (20)
   5.8 Land reclamation works ···························· (24)
   5.9 Tributary gully control works ····················· (25)
   5.10 Sand fixation works ································ (26)
   5.11 Trees and grasses works ·························· (27)
   5.12 Banned and raising engineering ·················· (30)
6 Terrace works ·· (31)
   6.1 General requirements ································ (31)
   6.2 Design of section ···································· (32)
   6.3 Design of terrace bank plants ····················· (36)

6.4	Design of field road	(36)
6.5	Construction organization	(37)

7 Check dam works for farmland forming .... (38)
   7.1 General requirements .... (38)
   7.2 Damsite, dam-type and arrangement .... (38)
   7.3 Dam body design .... (39)
   7.4 Spillway design .... (44)
   7.5 Design of water release building .... (47)
   7.6 Treatment of foundation and bank slope .... (51)
   7.7 Construction organization .... (51)

8 Sediment trapping dam works .... (53)
   8.1 General requirements .... (53)
   8.2 Project layout .... (53)
   8.3 Damsite & dam-type selection .... (53)
   8.4 Scale control .... (54)
   8.5 Dam body design .... (55)
   8.6 Spillway design .... (57)
   8.7 Construction organization .... (57)

9 Pond and overflow dam works .... (58)
   9.1 General requirements .... (58)
   9.2 Project layout .... (58)
   9.3 Damsite & dam-type selection .... (59)
   9.4 Scale control .... (59)
   9.5 Dam body design .... (61)
   9.6 Flood discharge and energy dissipation and water release facilities .... (64)
   9.7 Treatment of foundation and bank slope .... (65)
   9.8 Construction organization .... (65)

10 Gully and beach protcetion works ……………………… (67)
   10.1 Layout of dike for farmland protection ………………… (67)
   10.2 Layout of spurdyke and training dike …………………… (67)
   10.3 Layout of ecological revetment ………………………… (68)
   10.4 Structural style of dike for farmland protection ………… (68)
   10.5 Structural style of spurdyke and training dike …………… (70)
   10.6 Type of ecological revetment …………………………… (71)
   10.7 Construction organization ……………………………… (72)
11 Flood intercepting and drain works …………………… (73)
   11.1 General requirements …………………………………… (73)
   11.2 Project layout …………………………………………… (74)
   11.3 Intercepting design …………………………………… (76)
   11.4 Drainage ditch design ………………………………… (77)
   11.5 Interception ditch design ……………………………… (78)
   11.6 Mole drainage design ………………………………… (78)
12 Residues disposal area and tailing hold works ……… (81)
   12.1 General requirements …………………………………… (81)
   12.2 Design of residues disposal area ……………………… (82)
   12.3 Design of tailing hold works …………………………… (89)
   12.4 Design of flood discharge and intercepting …………… (94)
13 Land reclamation works ………………………………… (95)
   13.1 Flood diversion for silt deposition ……………………… (95)
   13.2 Water diversion for flushing sand dune ………………… (98)
   13.3 Land reclamation for production and
        construction project ………………………………… (100)
14 Tributary gully control works ………………………… (104)
   14.1 General requirements ………………………………… (104)
   14.2 Project layout ………………………………………… (104)
   14.3 Gully protection design ……………………………… (105)

14.4	Check dam design	(107)
14.5	Turf belt desing	(108)
14.6	Slope cutting design	(108)
14.7	Design of straw-filled trench	(109)
14.8	Drainage design of closed conduit	(109)
15	Small water detention works	(110)
15.1	General requirements	(110)
15.2	Project layout	(111)
15.3	Water cellar design	(112)
15.4	Water storage pool design	(113)
15.5	Design of sediment deposition pool	(114)
15.6	Design of waterlogging pool	(114)
16	Agriculture farming measures	(116)
16.1	General requirements	(116)
16.2	Measures of tiny terrain change	(116)
16.3	Mulching measures	(119)
16.4	Soil improvement measures	(121)
17	Sand fixation projects	(122)
17.1	General requirements	(122)
17.2	Design of windbreak and sand-fixation belt	(122)
17.3	Design of windbreak and sand-fixation measures	(124)
18	Trees and grasses works	(126)
18.1	General requirements	(126)
18.2	Project layout	(127)
18.3	Site types dividing	(128)
18.4	Selection on varieties of tree and grass	(128)
18.5	Soil preparation for afforestation	(129)
18.6	Forestation pattern and grassplanting way	(129)
18.7	Other conditions	(130)

18.8	Auxiliary projects	(132)
18.9	Project construction	(132)
19	Banned and raising engineering	(133)
19.1	General requirements	(133)
19.2	Design of banned and raising measures	(133)
19.3	Auxiliary facilities	(134)

Appendix A　Hydrological calculation ········· (135)
Appendix B　Stability calculation ············· (148)
Appendix C　Suitable of tree and grass species for
　　　　　　 project disturbed ground ········· (155)
Explanation of wording in this code ············ (158)
List of quoted standards ······················ (159)
Addition:Explanation of provisions ············ (161)

1 总　　则

1.0.1 为统一水土保持工程设计要求,保证设计质量和工程安全,发挥水土保持工程综合效益,制定本规范。

1.0.2 本规范主要适用于水土流失综合治理工程中的梯田、淤地坝、拦沙坝、塘坝、滚水坝、沟道滩岸防护、坡面截排水、引洪漫地、引水拦沙造地、支毛沟治理、小型蓄水工程、农业耕作、防风固沙、林草工程、封育工程,以及生产建设项目中的弃渣拦挡、土地整治、截排水、小型蓄水工程、防风固沙、植被恢复与建设工程设计。

1.0.3 水土保持工程设计应具备可靠的基础资料,在收集地质地貌、气象水文、土壤植被、水土流失、水土保持和社会经济等基本资料的基础上,开展相应调查、勘测及试验。应本着因地制宜、综合治理、安全可靠、注重效益的原则,在进行总体布置设计的基础上,进行各项措施设计。

1.0.4 水土保持工程设计除应符合本规范外,尚应符合国家现行有关标准的规定。

2 术　　语

2.0.1 水土流失综合治理工程　comprehensive control project of soil erosion and water loss

为治理区域水土流失,以小流域或片区为单元,合理配置的单项措施或多项措施的组合。

2.0.2 淤地坝　check dam for farmland forming

在多泥沙沟道修建的以控制侵蚀、拦泥淤地、减少洪水和泥沙灾害为主要目的工程设施,其总库容不大于500万 m^3,坝高不超过30m。

2.0.3 滚水坝　overflow dam

以抬高沟道上游水位、固定沟床、灌溉为主要目的的一种高度较低的挡水建筑物。

2.0.4 雨水集蓄利用工程　rainwater utilization works

对雨水进行收集、蓄存和调节利用的小型水利水保工程。

2.0.5 林草工程　forest and grass works

以植物措施为主体的水土流失防治工程,主要包括具有生态功能、生产功能的造林种草及经果林营造,生产建设项目所涉及的植被恢复与建设工程,以及农村生活污水处置湿地植物措施。

2.0.6 生态护岸　gully bank protection eco-works

利用植物或者植物与工程相结合,对沟道滩岸进行防护,以达到固岸护地、控制土壤侵蚀和修复水生态的一种护岸形式。

2.0.7 坡面截排水工程　water intercepting and drainage works on hill-slope

为拦截和疏导坡面径流而修建的设施。

2.0.8 支毛沟　branch gully

小流域中汇水面积小于1km²的分支沟。

2.0.9 小流域人工湿地 artificial wetland in small watershed

配置于生态清洁小流域中，以净化污水、改善水质及水体景观为目的，由人工建造和控制运行的湿地。

2.0.10 封育工程 fenced project and affiliated equipments

以封禁为基本手段，利用植物的自然繁殖和生长能力，辅以补植、抚育、以电代柴、沼气池、节柴灶、生态移民等人工促进手段，促进和恢复区域林草植被全部措施的总称。

2.0.11 弃渣场 residues disposal area

工程建设中对不能利用的开挖土石方、拆除混凝土或其混合物所选择的处置或堆放场地的总称。

2.0.12 堆渣最大高度 maximum height of slag-dumping

弃渣场堆渣最高点与最低坡脚的高程差值。

2.0.13 防风固沙带 windbreak and sand-fixation belt

为控制风蚀危害，根据区域风蚀特点布设在工程保护对象周边，由若干植物固沙、沙障固沙、化学固沙和封育措施组合所形成的带状防护措施体系。

3 基本规定

3.0.1 水土流失综合治理工程设计应重点分析流域土地利用现状、经济社会发展和水土流失防治需求,应以"治理水土流失,保护和合理利用水土资源,提高土地生产力,改善农村生产生活条件及生态环境"为基本出发点进行总体布置,并应据此开展各类措施或单项工程的设计。

3.0.2 生产建设项目水土保持设计应通过主体工程水土保持评价,结合主体工程设计,充分利用与保护水土资源,注重生态,拟定水土流失防治措施总体布局,分区开展水土保持设计,使水土保持工程和设施与项目区生态、地貌、植被、景观相协调。

3.0.3 生产建设项目水土保持措施总体布局及本规范未涉及的其他水土保持措施设计应按现行国家标准《开发建设项目水土保持技术规范》GB 50433 的有关规定执行。

3.0.4 水土保持工程设计调查与勘测资料及图件比例尺的基本要求应按水土保持工程调查与勘测的有关规范执行。

3.0.5 水土保持的工程规模、设计标准应按总体布置(局)中确定的各项措施有机组合所发挥的作用和要求,遵循"安全可靠、经济合理"原则确定。

4 水土流失综合治理工程总体布置

4.1 一般规定

4.1.1 水土流失综合治理工程应以小流域为单元,根据水土流失防治、生态建设及经济社会发展需求,统筹山、水、田、林、路、渠、村进行总体布置,做到坡面与沟道、上游与下游、治理与利用、植物与工程、生态与经济兼顾,使各类措施相互配合,发挥综合效益。

4.1.2 总体布置应符合下列规定:

1 应坚持沟坡兼治,坡面以梯田、林草工程为主,沟道应以淤地坝坝系、拦沙坝、塘坝、谷坊等工程为主。

2 应坚持生态与经济兼顾,梯田与林草工程布置应根据其生产功能,加强降水资源的合理利用,在少雨缺水地区配置雨水集蓄利用工程,多雨地区配置蓄排结合的蓄水排水工程,使梯田与坡面水系工程相配套,经济林、果园、设施农业与节水节灌、补灌相配套。

3 应坚持自然修复和人工治理相结合,江河源头区、远山边山地区应根据实际情况,充分利用自然修复能力,合理布置封育及其配套措施。

4 重要水源地应按生态清洁小流域进行布置,合理布设水源涵养林,并应配置面源污染控制措施。

5 在山洪灾害、泥石灾害、崩岗灾害严重的地区,应合理配置防灾减灾措施。

6 在城郊地区应充分利用区域优势,注重生态与景观结合,措施配置应满足观光农业、生态旅游、科技示范、科普教育需求。

4.2 分区基本要求

4.2.1 东北黑土区总体布置应符合下列要求:

1 应以保护黑土资源、保障粮食生产为核心,以防治侵蚀沟和缓坡耕地水土流失为重点。

2 治理措施应包括梯田、等高耕作、垄向区田、地埂植物带、谷坊以及农业机械道路、灌溉渠系、坡面排水措施等。

4.2.2 西北黄土高原区总体布置应符合下列要求:

1 应以提高综合农业生产能力和改善生态为核心,以保护土壤、增加植被覆盖、蓄水保水、拦沙减沙为重点。

2 治理措施应以梯田、淤地坝、治沟造地、林草工程、封育及配套措施为主,多年平均降水量400mm以下地区林草工程应以灌草措施为主。

3 沟道应布置坝系,坡面应布置梯田与林草工程,远山边山地区应布置封育及配套措施。梯田和淤地坝工程布置应与雨水集蓄利用、高效高产规模特色农业或经果林发展结合。

4 淤地坝工程坝系布置应妥善处理小流域内大、中、小型淤地坝与塘坝、小水库之间的关系,合理配置,联合运用;单坝规模确定应分析坝系中各单坝的相互作用。

4.2.3 北方风沙区总体布置应符合下列要求:

1 应以建设生态屏障和防沙带、修复和改良草场、保护绿洲为核心,重视水蚀风蚀交错区的水蚀和风蚀防治。

2 治理措施应以防风固沙、草场修复建设与保护、绿洲防护、林草措施、封育及其配套措施为主。

3 多年平均降水量250mm及以上地区应充分利用小泉、小水,加强雨水集蓄利用,采取砂田与覆盖措施,保持土壤水分,合理配置坡改梯及配套措施。

4 多年平均降水量250mm以下地区应以封禁措施为主,有灌溉条件的可建设人工草场,并以绿洲为核心设置防护措施。

4.2.4 北方土石山区总体布置应符合下列要求:

1 应以改善生态、保护与涵养水源、发展农林特色产业为核心,根据所处地区生态功能,注重保护土壤和耕地资源,防治局部区域山洪和泥石流灾害。

 2 治理措施应以梯田、雨水集蓄利用、沟道治理工程、经济林果种植以及林草措施为主。

 3 梯田应以石坎梯田为主,并与特色经济林果工程结合,注重山区沟道小泉、小水和雨水集蓄利用,配套节水型灌溉措施。

 4 水源地应配置水源涵养林以及面源污染控制措施。

4.2.5 西南岩溶区总体布置应符合下列要求:

 1 应以抢救和保护土壤资源、充分利用降水资源、改善农业生产条件为核心,以坡改梯及坡面水系工程为重点,对植被覆盖度低的岩溶山体配置林草及封育措施。

 2 治理措施应以梯田及坡面水系工程、田间道路、林草措施、岩溶地表水利用及岩溶落水洞治理工程为主。

 3 梯田应以石坎梯田为主;对于田面出露裸岩,可通过爆破破碎挖除凸露岩石,回覆周边土壤,增加可耕种面积,并应配置"以排为主、蓄排结合"的蓄排水设施。

 4 应充分利用溪流及小泉、小水配置塘坝、滚水坝以及引水设施,并配套农田灌溉或补充灌溉设施。

4.2.6 西南紫色土区总体布置应符合下列要求:

 1 应以保护土壤资源、充分利用降水资源、改善农业生产条件、促进农业发展为核心,以坡改梯及坡面水系工程为重点。

 2 治理措施应包括梯田及坡面水系工程、田间道路、塘坝、经济林果种植、林草措施、高效复合农林业建设、封育及配套措施为主。

 3 梯田工程应根据实际情况选择土坎与石坎梯田,配置"以排为主、蓄排结合"的蓄排水工程,特色经济林果宜配置灌溉设施。

4.2.7 南方红壤区总体布置应符合下列要求:

 1 应以保护土壤资源、防治崩岗灾害、改善农业生产条件、促进高产高效农业发展核心,重点开展坡改梯、崩岗治理、侵蚀劣地治理和园地及林下水土流失治理。

2 治理措施应以拦沙坝、截流沟、林草措施、梯田与坡面水系工程、田间道路、特色亚热带和热带经济林果建设、封育及配套措施为主。

　　3 崩岗治理应采取"上截、中林草、下堵"的综合措施体系，保障下游村庄和农业生产的安全。

4.2.8 青藏高原区总体布置应符合下列要求：

　　1 应以保护生态、修复和改良草场、改善河谷农业生产条件为核心，重点开展轮封轮牧、冬贮的人工草场建设，影响河谷农业生产的山洪灾害沟道治理，以及坡耕地治理。

　　2 林草工程应根据高原气候、地理位置、土壤、生态系统等地域特点和立地条件进行配置。

5 工程级别划分和设计标准

5.1 梯田工程

5.1.1 梯田工程应根据地形、地面组成物质等划分为4种类型区,其级别应根据梯田面积、土地利用方向或水源条件分为3级。

1 Ⅰ区主要包括西南岩溶区、秦巴山区及其类似区域,梯田工程级别应按表5.1.1-1确定。

表 5.1.1-1 Ⅰ区梯田工程级别

级 别	面积(hm^2)	土地利用方向
1	>10	口粮田、园地
2		一般农田、经果林
2	3～10	口粮田、园地
3		一般农田、经果林
3	≤3	—

注:1 级别划定以面积为首要条件;
　　2 当交通和水源条件较好时,提高一级;当无水源条件或交通条件较差时,降低一级。

2 Ⅱ区主要包括北方土石山区、南方红壤区和紫色土区(四川盆地周边丘陵区及其类似区域),梯田工程级别应按表5.1.1-2确定。

表 5.1.1-2 Ⅱ区梯田工程级别

级 别	面积(hm^2)	土地利用方向
1	>30	口粮田、园地
2		一般农田、经果林
2	10～30	口粮田、园地
3		一般农田、经果林
3	≤10	—

注:1 级别划定以面积为首要条件。面积指一个设计单元面积;
　　2 当交通和水源条件较好时,提高一级;当无水源条件或交通条件较差时,降低一级。

3 Ⅲ区主要包括黄土覆盖区,土层覆盖相对较厚及其类似区域,梯田工程级别应按表5.1.1-3确定。

表5.1.1-3 Ⅲ区梯田工程级别

级 别	面积(hm²)	土地利用方向
1	>60	口粮田、园地
2		一般农田、经果林
2	30~60	口粮田、园地
3		一般农田、经果林
3	≤30	—

注:1 级别划定以面积为首要条件。面积指一个设计单元面积;
  2 当交通和水源条件较好时,提高一级;当无水源条件或交通条件较差时,降低一级。

4 Ⅳ区主要为黑土区,梯田工程级别应按表5.1.1-4确定。

表5.1.1-4 Ⅳ区梯田工程级别

级 别	水源条件	面积(hm²)
1	好	>50
2	一般	20~50
3	差	≤20

注:1 级别划定以水源条件为首要条件;
  2 水源条件好指引水条件好或地下水量充沛可实施井灌。

5.1.2 梯田工程设计标准应符合下列规定:

1 Ⅰ区梯田工程设计标准按应表5.1.2-1确定。

表5.1.2-1 Ⅰ区梯田工程设计标准

级别	田面净宽(m)	排水设计标准	灌溉设施
1	>(6~10)	10年一遇~5年一遇短历时暴雨	灌溉保证率$P \geqslant 50\%$
2	(3~5)~(6~10)	5年一遇~3年一遇短历时暴雨	具有较好的补灌设施
3	<(3~5)	3年一遇短历时暴雨	—

注:云贵高原、秦巴山区田面净宽取低限或中限,其他地方视具体情况取高限或中限。

2 Ⅱ区梯田工程设计标准应按表5.1.2-2确定。

表5.1.2-2 Ⅱ区梯田工程设计标准

级别	田面净宽(m)	排水设计标准	灌溉设施
1	>10	10年一遇~5年一遇短历时暴雨	灌溉保证率$P \geqslant 50\%$
2	5~10	5年一遇~3年一遇短历时暴雨	具有较好的补灌设施
3	<5	3年一遇短历时暴雨	—

3 Ⅲ区梯田工程设计标准应按表5.1.2-3确定。

表5.1.2-3 Ⅲ区梯田工程设计标准

级别	田面净宽(m)	排水设计标准	补灌设施
1	≥20	10年一遇~5年一遇短历时暴雨	有
2	≥15	5年一遇~3年一遇短历时暴雨	—
3	≥10	3年一遇短历时暴雨	—

4 Ⅳ区梯田工程设计标准应按表5.1.2-4确定。

表5.1.2-4 Ⅳ区梯田工程设计标准

级别	田面净宽(m)	排水设计标准	灌溉设施
1	>30	10年一遇~5年一遇短历时暴雨	灌溉保证率$P \geqslant 75\%$
2	(5~10)~30	5年一遇~3年一遇短历时暴雨	灌溉保证率P为50%~75%
3	<(5~10)	3年一遇短历时暴雨	—

注：地形条件具备的，田面净宽取高限；地形条件不具备的，取低限。

5.2 淤地坝工程

5.2.1 淤地坝工程等别、建筑物级别应根据淤地坝库容按表5.2.1确定。

表 5.2.1 淤地坝工程等别及建筑物级别划分

工程等别	工程规模		总库容 ($10^4 m^3$)	永久性建筑物级别		临时性建筑物级别
				主要建筑物	次要建筑物	
Ⅰ	大型淤地坝	1型	100～500	1	3	4
		2型	50～100	2	3	4
Ⅱ	中型淤地坝		10～50	3	4	4
Ⅲ	小型淤地坝		<10	4	4	—

5.2.2 失事后损失巨大或影响十分严重的淤地坝工程2级、3级主要永久性水工建筑物,经过论证,可提高一级。

5.2.3 当永久性水工建筑物基础的工程地质条件复杂或采用新型结构时,对2级、3级建筑物可提高一级。

5.2.4 淤地坝工程设计标准应根据建筑物级别按表5.2.4确定。

表 5.2.4 淤地坝建筑物设计标准

建筑物级别	洪水重现期(年)	
	设计	校核
1	30～50	300～500
2	20～30	200～300
3	20～30	50～200
4	10～20	30～50

5.2.5 淤地坝坝坡抗滑稳定的安全系数不应小于表5.2.5规定的数值。

表 5.2.5 淤地坝抗滑稳定安全系数

荷载组合或运用状况	建筑物级别	
	1、2	3、4
正常运用	1.25	1.20
非常运用	1.15	1.10

5.2.6 总库容大于 500 万 m^3 以及土石(浆砌石)坝坝高大于 30m 的具有淤地功能的沟道治理工程,应按水利工程土石坝、浆砌石坝等规范设计。

5.3 拦沙坝工程

5.3.1 拦沙坝工程等别及建筑物级别应符合下列规定:

1 拦沙坝坝高宜为 3m~15m,库容宜小于 10 万 m^3,工程失事后对下游造成的影响较小,其工程等别应根据表 5.3.1-1 的确定。

表 5.3.1-1 拦沙坝工程的等别划分

工程等别	坝高(m)	库容(万 m^3)	保护对象		
			经济设施的重要性	保护人口(人)	保护农田(亩)
Ⅰ	10~15	10~50	特别重要经济设施	≥100	≥100
Ⅱ	5~10	5~10	重要经济设施	<100	10~100
Ⅲ	<5	<5			<10

注:1 当坝高大于 15m,库容大于 50 万 m^3 时,应专门论证;
    2 当条件不一致时取高限。等别划分不同时,按最高等别来确定。

2 拦沙坝建筑物级别应根据工程等别和建筑物的重要性按表 5.3.1-2 确定。

表 5.3.1-2 拦沙坝建筑物级别

工程等别	主要建筑物	次要建筑物
Ⅰ	1	3
Ⅱ	2	3
Ⅲ	3	3

注:1 失事后损失巨大或影响十分严重的拦沙坝工程的2级~3级主要建筑物,经论证可提高一级;

2 失事后损失不大的拦沙坝工程的1级~2级主要建筑物,经论证可降低一级;

3 建筑物级别提高或降低,其洪水标准可不提高或降低。

5.3.2 拦沙坝工程建筑物的防洪标准应根据其级别按表 5.3.2 的规定确定。

表 5.3.2 拦沙坝建筑物的洪水标准

建筑物级别	洪水标准[重现期(年)]		
	设 计	校 核	
		重力坝	土石坝
1	20~30	100~200	200~300
2	20~30	50~100	100~200
3	10~20	30~50	50~100

5.3.3 稳定安全系数标准应符合下列规定:

1 土坝、堆石坝的坝坡稳定计算应采用刚体极限平衡法。采用不计条块间作用力的瑞典圆弧法计算坝坡稳定性时,坝坡抗滑稳定安全系数不应小于表 5.3.3-1 规定的数值。采用其他精确计算方法时,最小抗滑稳定安全系数数值应提高8%。

表 5.3.3-1 土坝、堆石坝坝坡的最小抗滑稳定安全系数

荷载组合或运用状况		拦沙坝建筑物的级别		
		1	2	3
基本组合(正常运用)		1.25	1.20	1.15
特殊组合(非常运用)	非常运用条件Ⅰ(施工期及洪水)	1.15	1.10	1.05
	非常运用条件Ⅱ(正常运用+地震)	1.05	1.05	1.05

注:1 荷载计算及其组合应满足现行行业标准《碾压式土石坝设计规范》SL 274 的有关规定;

2 特殊组合Ⅰ的安全系数适用于特殊组合Ⅱ以外的其他非常运用荷载组合。

2 重力坝坝体抗滑稳定计算主要核算坝基面滑动条件,应按抗剪断强度或抗剪强度计算坝基面的抗滑稳定安全。抗滑稳定安全系数不应小于表 5.3.3-2 规定的数值。除深层抗滑稳定以外的坝体抗滑稳定计算,应分析下列情况:

表 5.3.3-2 重力坝稳定计算抗滑稳定安全系数

安全系数	采用公式	荷载组合		1级、2级、3级坝	备注
K'	抗剪断公式	基本		3.00	—
		特殊	非常洪水状况	2.50	—
			设计地震状况	2.30	—
K	抗剪公式	基本		1.20	软基
		特殊	非常洪水状况	1.05	
			设计地震状况	1.00	
K	抗剪公式	基本		1.05	岩基
		特殊	非常洪水状况	1.00	
			设计地震状况	1.00	

1)沿垫层混凝土与基岩接触面滑动;
2)沿砌石体与垫层混凝土接触面滑动;
3)砌石体之间的滑动。

当坝基岩体内存在软弱结构面、缓倾角结构面时,应计算深层抗滑稳定。根据滑动面的分布情况,可分为单滑面、双滑面和多滑面计算模式,采用刚体极限平衡法计算。

5.3.4 溢洪道控制段及泄槽抗滑稳定安全系数应符合表5.3.4的规定。

表5.3.4 溢洪道控制段及泄槽抗滑稳定安全系数

安全系数	采用公式	荷载组合		1级、2级、3级坝
K'	抗剪断公式	基本		3.00
		特殊	非常洪水状况	2.50
			设计地震状况	2.30
K	抗剪公式	基本		1.05
		特殊	非常洪水状况	1.00
			设计地震状况	1.00

5.4 塘坝和滚水坝

5.4.1 塘坝工程级别和防洪标准应符合下列规定：

1 塘坝工程级别应根据库容、坝高等指标，按表5.4.1-1确定。

表5.4.1-1 塘坝工程级别

工程级别	级别指标	
	库容($10^4 m^3$)	坝高(m)
1	5~10	5~10
2	<5	<5

注：根据库容和坝高确定工程级别时就高不就低。

2 对有防洪任务和要求的塘坝，应按表5.4.1-2确定其防洪标准。

表5.4.1-2 塘坝工程防洪标准

工程级别	防洪标准[重现期(年)]	
	设计	校核
1	10	20
2	5	10

5.4.2 滚水坝工程级别和防洪标准应符合下列规定：

1 滚水坝工程级别应依据坝高指标，按表5.4.2-1确定。

表 5.4.2-1 滚水坝工程级别

工 程 级 别	坝高(m)
1	5～10
2	<5

2 滚水坝防洪标准应按表5.4.2-2确定。

表 5.4.2-2 滚水坝防洪标准

工 程 级 别	防洪标准[重现期(年)]
1	10
2	5

5.4.3 稳定计算标准应符合下列规定：

1 基底应力计算应满足下列要求：

1) 土质地基及软质岩石地基在各种计算情况下，平均基底应力不应大于地基允许承载力，最大基底应力不应大于地基允许承载力的1.2倍；基底应力的最大值和最小值之比不应大于表5.4.3-1规定的允许值。

表 5.4.3-1 基底应力最大值与最小值之比的允许值

地基土质	荷载组合	
	基本组合	特殊组合
松软	1.50	2.00
中等坚实	2.00	2.50
坚实	2.50	3.00

注：地震区基底应力最大值与最小值之比的允许值可按表列数值适当增大。

2) 硬质岩石地基在各种计算情况下，最大基底应力不应大于地基允许承载力；除施工期和地震情况外，基底应力不应出现拉应力；在施工期和地震情况下，基底拉应力不应大于100kPa。

2 均质土坝、土质防渗体土石坝、人工防渗体土石坝的稳定计算,应按刚体极限平衡理论采用瑞典圆弧法进行计算,其坝坡抗滑稳定安全系数不应小于表5.4.3-2规定的数值。采用其他精确计算方法时,最小抗滑稳定安全系数可适当提高。

表5.4.3-2 土石坝坝坡抗滑稳定安全系数

运用条件		1级、2级坝最小安全系数
正常运用	稳定渗流期	1.25
	库水位正常降落	
非正常运用	施工期	1.15
	库水位非常降落	
	正常运用条件加地震	1.10

3 重力坝(滚水坝)坝体抗滑稳定按抗剪断强度和按抗剪强度计算时,其抗滑稳定安全系数不应小于表5.4.3-3规定的数值。

表5.4.3-3 重力坝(滚水坝)坝体抗滑稳定安全系数

安全系数名称	荷载组合		1级、2级坝安全系数
抗剪断稳定安全系数	基本		3.00
	特殊	校核洪水情况	2.50
		地震状况	2.30
抗剪稳定安全系数	基本		1.05
	特殊	校核洪水状况	1.00
		地震状况	1.00

5.5 沟道滩岸防护工程

5.5.1 沟道滩岸防护工程的防洪标准应根据防护区耕地面积和所在区域划分为两个等级,相应防洪标准应按表5.5.1的规定确定。

表 5.5.1 沟道滩岸防护区的等级和防洪标准

等 级		Ⅰ	Ⅱ
防护区耕地面积(hm^2)	区域	Ⅰ区	≥100	<100
		Ⅱ区	≥10	<10
		其他区	≥5	<5
防洪标准[重现期(年)]		10	5

注：1 涉及影响人口时，可适当调高标准；
　　2 汇水面积在$50km^2$以下小流域采用此标准，其他采用堤防标准；
　　3 Ⅰ区是指东北黑土区，Ⅱ区是指北方土石山区、南方红壤区和四川盆地周边丘陵区及其类似区域。

5.5.2 护地堤级别应符合表 5.5.2 的规定。护地堤上的闸、涵、泵站等建筑物及其他构筑物的设计防洪标准不应低于护地堤的防洪标准。

表 5.5.2 护地堤级别

防洪标准[重现期(年)]	10	5
护地堤级别	1	2

5.5.3 土堤抗滑稳定安全系数不应小于表 5.5.3 的规定。

表 5.5.3 土堤抗滑稳定安全系数

护地堤级别	1、2
安全系数	1.10

5.5.4 防洪墙抗滑稳定安全系数不应小于表 5.5.4 的规定。

表 5.5.4 防洪墙抗滑稳定安全系数

地基性质	岩 基	土 基
护地堤级别	1、2	1、2
安全系数	1.00	1.15

5.5.5 防洪墙抗倾稳定安全系数不应小于表 5.5.5 的规定。

表 5.5.5 防洪墙抗倾稳定安全系数

护地堤级别	1、2
安全系数	1.40

5.6 坡面截排水工程

5.6.1 坡面截排水工程的等级应包括下列三级：

1 1级：配置在坡地上具有生产功能的1级林草工程、1级梯田的截排水沟。

2 2级：配置在坡地上具有生产功能的2级林草工程、2级梯田的截排水沟。

3 3级：配置在坡地上具有生产功能的3级林草工程、3级梯田以及其他设施的截排水沟。

5.6.2 坡面截排水工程设计标准应按表5.6.2确定。

表5.6.2 坡面截排水工程设计标准

级　别	排水标准	超高（m）
1	5年一遇～10年一遇短历时暴雨	0.3
2	3年一遇～5年一遇短历时暴雨	0.2
3	3年一遇短历时暴雨	0.2

5.7 弃渣场及拦挡工程

5.7.1 弃渣场级别应根据堆渣量、堆渣最大高度以及弃渣场失事后对主体工程或环境造成危害程度，按表5.7.1的规定确定。

表5.7.1 弃渣场级别

渣场级别	堆渣量 V（万 m³）	最大堆渣高度 H（m）	渣场失事对主体工程或环境造成的危害程度
1	$2000 \geqslant V \geqslant 1000$	$200 \geqslant H \geqslant 150$	严重
2	$1000 > V \geqslant 500$	$150 > H \geqslant 100$	较严重
3	$500 > V \geqslant 100$	$100 > H \geqslant 60$	不严重

续表 5.7.1

渣场级别	堆渣量 V(万 m^3)	最大堆渣高度 H(m)	渣场失事对主体工程或环境造成的危害程度
4	$100>V\geqslant50$	$60>H\geqslant20$	较轻
5	$V<50$	$H<20$	无危害

注：1 根据堆渣量、最大堆渣高度、渣场失事对主体工程或环境的危害程度确定的渣场级别不一致时，就高不就低；

2 渣场失事对主体工程的危害指对主体工程施工和运行的影响程度，渣场失事对环境的危害指对城镇、乡村、工矿企业、交通等环境建筑物的影响程度；

3 严重危害：相关建筑物遭到大的破坏或功能受到大的影响，可能造成人员伤亡和重大财产损失的；

较严重危害：相关建筑物遭到较大破坏或功能受到较大影响，需进行专门修复后才能投入正常使用；

不严重危害：相关建筑物遭到破坏或功能受到影响，及时修复可投入正常使用；

较轻危害：相关建筑物受到的影响很小，不影响原有功能，无需修复即可投入正常使用。

5.7.2 弃渣场防护工程建筑物级别应根据渣场级别分为 5 级，按表 5.7.2 的规定确定，并应符合下列要求：

1 拦渣堤、拦渣坝、挡渣墙、排洪工程建筑物级别应按渣场级别确定。

2 当拦渣工程高度不小于 15m，弃渣场等级为 1 级、2 级时，挡渣墙建筑物级别可提高 1 级。

表 5.7.2 弃渣场拦挡工程建筑物级别

渣场级别	拦渣工程			排洪工程
	拦渣堤工程	拦渣坝工程	挡渣墙工程	
1	1	1	2	1
2	2	2	3	2
3	3	3	4	3
4	4	4	5	4
5	5	5	5	5

5.7.3 拦渣堤(围渣堰)、拦渣坝、排洪工程防洪标准应根据其相应建筑物级别,按表5.7.3的规定确定,并应符合下列规定:

1 拦渣堤(围渣堰)、拦渣坝工程不应设校核洪水标准,设计防洪标准应按表5.7.3的规定确定,拦渣堤防标准还应满足河道管理和防洪要求。

2 排洪工程设计、校核防洪标准按表5.7.3的规定确定。

表5.7.3 弃渣场拦挡工程防洪标准

拦渣堤(坝) 工程级别	排洪工程 级别	防洪标准[重现期(年)]			
		山区、丘陵区		平原区、滨海区	
		设计	校核	设计	校核
1	1	100	200	50	100
2	2	100~50	200~100	50~30	100~50
3	3	50~30	100~50	30~20	50~30
4	4	30~20	50~30	20~10	30~20
5	5	20~10	30~20	10	20

3 拦渣堤、拦渣坝、排洪工程失事可能对周边及下游工矿企业、居民点、交通运输等基础设施等造成重大危害时,2级以下拦渣堤、拦渣坝、排洪工程的设计防洪标准可按表5.7.3的规定提高1级。

4 弃渣场临时性拦挡工程防洪标准取3年一遇~5年一遇;当弃渣场级别为3级以上时,可提高到10年一遇防洪标准。

5 弃渣场永久性截排水措施的排水设计标准采用3年一遇~5年一遇5min~10min短历时设计暴雨。

5.7.4 弃渣场抗滑稳定安全系数应符合下列规定:

1 采用简化毕肖普法、摩根斯顿-普赖斯法计算时,抗滑稳定安全系数不应小于表5.7.4-1规定的数值。

表5.7.4-1 弃渣场抗滑稳定安全系数

应用情况	弃渣场级别			
	1	2	3	4、5
正常运用	1.35	1.30	1.25	1.20
非常运用	1.15	1.15	1.10	1.05

2 采用瑞典圆弧法、改良圆弧法计算时,抗滑稳定安全系数不应小于表5.7.4-2规定的数值。

表5.7.4-2 弃渣场抗滑稳定安全系数

应用情况	弃渣场级别			
	1	2	3	4、5
正常运用	1.25	1.20	1.20	1.15
非常运用	1.10	1.10	1.05	1.05

5.7.5 弃渣场拦挡工程安全稳定应符合下列要求:

1 挡渣墙(浆砌石、混凝土、钢筋混凝土)基底抗滑稳定安全系数不应小于表5.7.5-1规定的允许值。

表5.7.5-1 挡渣墙基底抗滑稳定安全系数

计算工况	土质地基					岩石地基					按抗剪断公式计算时
	挡渣墙级别					挡渣墙级别					
	1	2	3	4	5	1	2	3	4	5	
正常运用	1.35	1.30	1.25	1.20	1.20	1.10	1.08		1.05		3.00
非常运用	1.10			1.05			1.00				2.30

2 当土质地基上的挡渣墙沿软弱土体整体滑动时,按瑞典圆弧法或折线滑动法计算的抗滑稳定安全系数不应小于表5.7.4-1规定的允许值。

3 土质地基上挡渣墙的抗倾覆安全系数不应小于表5.7.5-2规定的允许值。

表5.7.5-2 土质地基挡渣墙抗倾覆安全系数

计算工况	挡渣墙级别			
	1	2	3	4、5
正常运用	1.60	1.50	1.45	1.40
非常运用	1.50	1.40	1.35	1.30

4 岩石地基上1级～2级挡渣墙,在基本荷载组合条件下,抗倾覆安全系数不应小于1.45,3级～5级挡渣墙抗倾覆安全系数不应小于1.40;在特殊荷载组合条件下,不论挡渣墙的级别,抗倾覆安全系数均不应小于1.30。

5 采用计条块间作用力的计算方法时,拦渣堤(土堤或土石堤)边坡抗滑稳定安全系数不应小于表5.7.5-3规定的允许值。

表5.7.5-3 拦渣堤抗滑稳定安全系数

拦渣堤工程级别	1	2	3	4	5
正常运用	1.35	1.30	1.25	1.20	1.20
非常运用	1.15	1.15	1.10	1.05	1.05

6 采用不计条块间作用力的瑞典圆弧法计算边坡抗滑稳定安全系数时,正常运用条件最小安全系数应比表5.7.5-3规定的数值减小8%。

5.7.6 挡渣墙(浆砌石、混凝土、钢筋混凝土)基底应力计算应满足下列要求:

1 在各种计算工况下,土质地基和软质岩石地基上的挡渣墙平均基底应力不应大于地基允许承载力允许值,最大基底应力不应大于地基允许承载力的1.2倍。

2 土质地基和软质岩石地基上挡渣墙基底应力的最大值与最小值之比不应大于2.0,砂土宜取2.0～3.0。

5.8 土地整治工程

5.8.1 引洪漫地工程级别划分应按表5.8.1的规定确定。

表5.8.1 引洪漫地工程级别

工程级别	淤漫面积(hm²)	设计洪水标准(年)
1	5～20	10～20
2	<5	5～10

注:引坡洪漫地时可控制引用的集水面积宜在1km²～2km²以下;引河洪漫地时宜引用中、小河流。

5.8.2 引水拉沙造地工程级别,应根据工程的规模及工程所在区域防洪安全和水土保持重要性划分为 3 级,并应按表 5.8.2 的规定确定。

表 5.8.2 引水拉沙造地工程级别

工程级别	造地面积(hm^2)	
	风沙区	河流滩地
1	≥100	≥50
2	100~30	50~10
3	<30	<10

注:1 2级、3级工程所在区域为国家水土流失重点防治区时,级别相应提高1级;
   2 2级、3级的工程,所在区域防洪安全特别重要时,级别相应提高1级。

5.8.3 各级别引水拉沙造地工程设计应符合下列要求:

1 1级:田块布设和道路设计应满足大型机械化生产的要求,水利灌溉及防洪设施完善,工程区及其周边防风防沙林带全面配置。

2 2级:田块布设和道路设计应基本满足机械化生产的要求,因地制宜配套水利灌溉设施,工程区内防风、防沙、防洪措施完善,并应结合周边地域的风沙防护。

3 3级:应满足工程区内的防洪要求,配套田块内外生产道路及防护林带。

4 河流滩地引水拉沙造地的防洪堤设计标准应按表 5.8.3 确定。

表 5.8.3 引水拉沙造地工程设计标准

工程级别	河流滩地防洪堤设计洪水重现期(年)
1	10
2、3	5

5.9 支毛沟治理工程

5.9.1 沟头防护工程设计标准应根据各地水文手册结合具体情

况选择相应历时暴雨。

5.9.2 谷坊工程溢流口的设计应根据各地水文手册结合具体情况选择相应历时暴雨。

5.9.3 选择相应历时暴雨时,应根据各地降雨情况分别采用当地最易产生严重水土流失的短历时、高强度暴雨。

5.10 固沙工程

5.10.1 防风固沙工程级别应根据风沙危害程度、保护对象、所处位置、工程规模、治理面积等因素,按表5.10.1的规定确定。

表5.10.1 防风固沙工程级别

防治级别		严重	中等	轻度
绿洲规模(hm^2)	≥20000	1	2	3
	20000~666	2	3	3
	<666	2	3	3
公路等级	高速及一级	1	2	3
	二级	2	3	3
	三级及等外	3	3	3
铁路等级	国铁Ⅰ级及客运专线	1	1	2
	国铁Ⅱ级	1	2	3
	国铁Ⅲ级及以下	2	3	3
输水工程(m^3/s)	≥100	1	2	3
	100~5	2	3	3
	<5	3	3	3
园区	国家级	1	2	3
	省级	2	3	3
	地方	2	3	3

续表 5.10.1

防治级别		严重	中等	轻度
工矿企业	大型	1	2	3
	中型	2	3	3
	小型	3	3	3
居民点	县（市）	1	2	3
	镇	2	3	3
	乡村	3	3	3

5.10.2 防风固沙带宽度应根据防风固沙工程级别、所处风向方位，按表5.10.2的规定选定。

表 5.10.2 防风固沙带宽度

防风固沙工程级别	防风固沙带宽(m)	
	主害风上风向	主害风下风向
1	200～300	100～200
2	100～200	50～100
3	50～100	20～50

注：对防风固沙带宽大于300m的工程项目，应经论证确定其宽度。

5.11 林草工程

5.11.1 涉及生态公益林建设的区域，林草工程级别应按现行国家标准《生态公益林建设　导则》GB/T 18337.1 的有关规定执行，并应根据其建设规模、所处位置、生态脆弱性、生态重要性及景观作用合理确定。

5.11.2 坡地上具有生产功能的林草工程级别应按表5.11.2的规定确定。坡地上具有生产功能的林草工程设计应根据其级别，按下列规定执行：

表5.11.2 坡地上具有生产功能的林草工程级别

级别	类别	规模化经营程度
1	果园、经济林栽培园	规模化集约经营
2	果园、经济林栽培园、刈割草场	规模化经营
3	果园、经济林栽培园、经济林、刈割草场	其他

1 1级应采取措施建设高标准梯田,并应配套相应灌溉设施,灌溉保证率不应小于75%。

2 2级应采取措施建设水平梯田,并应配套相应灌溉设施,灌溉保证率不应小于50%。

3 3级应采取水土保持措施,并应辅以雨水集蓄利用措施。

5.11.3 生产建设项目的植被恢复与建设工程级别,应根据生产建设项目主体工程所处的自然及人文环境、气候条件、立地条件、征地范围、绿化要求综合确定,应按表5.11.3-1～表5.11.3-7的规定执行,并应符合下列要求:

1 工程项目区域涉及城镇、饮水水源保护区和风景名胜区的,应提高一级。

2 弃渣取料、施工生产生活、施工交通等临时占地区域应执行3级标准。

表5.11.3-1 水利水电项目植被恢复与建设工程级别

主要建筑物级别	生活管理区	枢纽闸站永久占地区	堤渠永久占地区
1、2	1	1	2
3	1	1	2
4	2	2	3
5	2	3	3

表5.11.3-2 电力项目植被恢复与建设工程级别

电厂	生活管理区	灰坝及附属工程	贮灰场
	1	2	2

注:发电、变电等主体工程区不设植被恢复与建设工程级别,其设计应首先符合主体工程相关技术标准对植被绿化的约束性要求。

表 5.11.3-3 冶金类项目植被恢复与建设工程级别

冶金工程	生活管理区	生产设施区,辅助生产、公用工程区	仓储运输设施区	排土场
	1	1	2	2

表 5.11.3-4 矿山类项目植被恢复与建设工程级别

矿山建设规模	生活管理区	采场区	废石场	尾矿库	排矸(土)场
大型	1	2	2	2	2
中型	1	3	3	3	3
小型	2	3	3	3	3

表 5.11.3-5 公路项目植被恢复与建设工程级别

公路级别	服务区或管理站	隔离带	路基两侧绿化带
高速公路	1	1	2
一级公路	2	2	3
二级及以下公路	3	—	3

表 5.11.3-6 铁路项目植被恢复与建设工程级别

铁路级别	铁路车站	路基两侧用地界	铁路桥梁、涵洞、隧道
高速铁路	1	3	3
Ⅰ级铁路	1	3	3
Ⅱ级及以下铁路	2	3	3

表 5.11.3-7 输气、输油、输变电工程的植被恢复与建设工程级别

输气、输油、输变电工程	生活管理区	集配气站/变电站	原油管道、储运设施、输变电站塔	附属设施
	1	1	2	2

注:1 管道填埋区绿化设计应首先满足其主体工程相关技术标准对植被绿化的约束性要求;

2 储运设施、输变电站塔绿化设计应首先满足其主体工程相关技术标准对植被绿化的约束性要求。

5.11.4 植被恢复与建设工程设计标准应符合下列规定：

1 1级植被建设工程应根据景观、游憩、环境保护和生态防护等多种功能的要求，执行工程所在地区的园林绿化工程标准。

2 2级植被建设工程应根据生态防护和环境保护要求，按生态公益林标准执行；有景观、游憩等功能要求的，结合工程所在地区的园林绿化标准，在生态公益林标准基础上适度提高。

3 3级植被建设工程应根据生态保护和环境保护要求，按生态公益林绿化标准执行；降水量为250mm～400mm的区域，应以灌草为主；降水量在250mm以下的区域，应以封禁为主并辅以人工抚育。

5.12 封育工程

5.12.1 封育工程级别应按工程区域水土保持和生态功能的重要性确定，并应按下列规定执行：

1 水土流失重点防治区、重要生态功能区或重要饮用水水源地和生态移民地区执行1级标准。

2 其他区域执行2级标准。

5.12.2 封育设计标准应符合下列规定：

1 1级标准应采取适宜的封育方式，以全封禁措施为主，并应配套生态移民、以煤电气代薪柴、沼气池、节柴灶等措施。

2 2级标准应采取适宜的封育方式，以半封和轮封为主。在能源紧缺地区，应辅以煤电气代薪柴、沼气池、节柴灶等措施。在人口密集地区，应辅以生态移民。

6 梯田工程

6.1 一般规定

6.1.1 梯田设计应符合下列规定：

1 应分析土地资源及利用状况，结合区域经济和主导产业发展方向进行总体布置。

2 年降水量250mm～800mm的地区宜利用降水资源，配套蓄水设施。

3 年降水量大于800mm的地区宜以排为主、蓄排结合，配套蓄排设施。

6.1.2 梯田布置应符合下列规定：

1 应根据地形条件，大弯就势、小弯取直，便于耕作和灌溉。黑土区及其他地面坡度缓平的区域田块布置应便于机械作业。

2 应配套田间道路，宜配套坡面小型蓄排工程等设施，并应根据拟定的梯田等级配套相应灌溉设施。黑土区的梯田道路设计宜满足大型机械通行要求。

3 梯田埂坎应充分利用土地资源配置地埂植物，并应选用具有一定经济价值、胁地较小的埂坎植物种。

6.1.3 梯田型式的划分应符合下列规定：

1 按梯田的断面形式可分为水平梯田、坡式梯田和隔坡梯田等型式。

2 按梯田田坎建筑材料可分为土坎梯田、石坎梯田、混凝土坎梯田等型式。

6.1.4 梯田选型应符合下列规定：

1 坡耕地改造应优先采用水平梯田；土层较薄或坡度较陡的

坡耕地、荒坡地可视具体情况采用坡式梯田;干旱、人均耕地较少的丘陵山区,坡度不大于20°的坡耕地或荒坡地可采用隔坡梯田。

2 黑土区中,坡度大于3°、土层厚度不小于0.3m的丘陵漫岗区,以及坡度不小于8°、土层厚度不小于0.3m的山区,宜采用水平或坡式梯田。

3 应优先选用当地材料梯田型式。

6.1.5 田面净宽应根据梯田工程级别提出初步指标,结合地面坡度、土层厚度等因素分析确定。

6.1.6 梯田设计基本资料应满足下列要求:

1 地质地貌资料,应包括1:5000～1:1000地形图、地质及土壤条件等。

2 水文气象资料,应包括降水、暴雨和气温等。

3 建筑材料,应包括土、砂、水泥、石料的分布、性质及储量等。

4 社经资料,应包括建设区人口、经济、土地利用、交通、电力以及当地建筑材料价格等。

6.2 断面设计

6.2.1 水平梯田断面(图6.2.1)设计应符合下列规定:

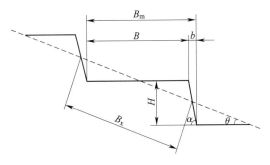

图6.2.1 水平梯田断面

1 石坎梯田断面设计应符合下列规定：
  1）田坎高度应根据地面坡度、土层厚度、梯田级别等因素合理确定，其范围宜取 1.2m～2.5m，田埂高度宜取 0.3m～0.5m；
  2）田坎坎顶宽度应为 0.3m～0.5m，需与生产路、灌溉系统结合布置时，应适当加宽；
  3）田坎外侧坡比宜取 1∶0.1～1∶0.25，当田坎高度大于 2.0m 时，内侧坡比宜取 1∶0.1；
  4）田坎基础应置于硬基之上，软基基础深不应小于 0.5m，基面应外高内低，宽度应根据田坎顶宽及田坎侧坡坡比确定；
  5）田面应外高内低，比降宜取 1∶300～1∶500，田面内侧设排水沟。梯田断面设计应结合土层厚度，修平后内侧活土层厚应大于 0.3m，田面净宽和田坎高度应按下列公式计算：

$$B = 2(T-h)\cot\theta \quad (6.2.1\text{-}1)$$

$$H = B/(\cot\theta - \cot\alpha) \quad (6.2.1\text{-}2)$$

式中：B——田面净宽(m)；
　　　T——原坡地土层厚度(m)；
　　　h——修平后挖方处后缘保留的土层厚度(m)；
　　　θ——地面坡度(°)。
　　　H——田坎高度(m)；
　　　α——田坎坡度(°)。

2 土坎梯田断面设计应符合下列规定：
  1）田坎高度应根据地面坡度、土层厚度、梯田等级等因素合理确定，其范围宜取 1.2m～2.0m，田埂高度宜取 0.3m～0.5m；
  2）田埂宽度宜取 0.3m～0.5m，当需要结合生产路布置时，应适当加宽；

3）田坎侧坡坡比宜取 1∶0.1～1∶0.4，田埂边坡宜采用 1∶1。

3 混凝土坎梯田宜采用"柱—板"式结构，田面设计同石坎梯田。应根据立柱的形状不同，分为利用锚杆稳定和利用土体自重稳定两种形式，田坎立柱高度宜为 1.2m～1.8m，立柱宽 0.15m，厚 0.07m；横板长 1.14m，宽 0.3m，厚 0.04m；锚杆形状为"7"字形，长 0.5m，宽度及厚度均为 0.05m。

4 水平梯田的工程量计算应符合下列规定：

　　1）单位面积土方量可按下列公式计算：

$$V = \frac{1}{8}BHL \quad (6.2.1-3)$$

$$H = B_x \sin\theta \quad (6.2.1-4)$$

$$B_x = H/\sin\theta \quad (6.2.1-5)$$

$$B = B_m - b = H(\cot\theta - \cot\alpha) \quad (6.2.1-6)$$

$$B_m = H\cot\theta \quad (6.2.1-7)$$

$$H = B_m \tan\theta \quad (6.2.1-8)$$

$$b = H\cot\alpha \quad (6.2.1-9)$$

式中：V——单位面积（hm^2 或亩）梯田土方量（m^3）；

　　　L——单位面积（hm^2 或亩）梯田长度（m）；

　　　α——梯田田坎坡度（°）；

　　　B_x——原坡面斜宽（m）；

　　　B_m——梯田田面毛宽（m）；

　　　b——梯田田坎占地宽（m）。

其他符号意义同前。

　　2）当以 hm^2 为单位时，梯田单位面积土方量应按下式计算：

$$V = \frac{1}{8}H \times 10^4 = 1250H \quad (6.2.1-10)$$

　　3）当以亩为单位时，梯田单位面积土方量应按下式计算：

$$V = \frac{1}{8}H \times 666.7 = 83.3H \quad (6.2.1-11)$$

6.2.2 坡式梯田断面(图6.2.2)设计应符合下列规定：

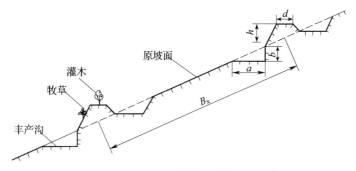

图 6.2.2 坡式梯田断面
d—田埂顶宽；h—田埂高；a—沟底宽；b—埂下切深

1 等高沟埂间距 B_x 应根据地面坡度、降雨、土壤渗透系数等因素确定。地面坡度越陡，B_x 越小；降雨强度越大，B_x 越小；土壤渗透系数越大，B_x 越大。应根据各地条件选定。

2 等高沟埂断面尺寸设计应符合下列规定：

　1）田埂顶宽宜取 0.3m～0.4m，田埂高度宜取 0.5m～0.6m，外坡 1∶0.5，内坡 1∶1。

　2）年降水量为 250mm～800mm 的地区，田埂上方容量应满足拦蓄与梯田级别对应的设计暴雨所产生的地表径流和泥沙。年降水量为 800mm 以上的地区，田埂宜结合坡面小型蓄排工程，妥善处理坡面径流与泥沙。

6.2.3 隔坡梯田断面(图6.2.3)设计应符合下列规定：

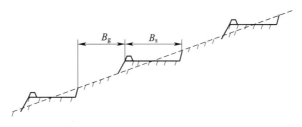

图 6.2.3 隔坡梯田断面

1 水平田面宽度 B_s 的确定应兼顾耕作和拦蓄暴雨径流要求，B_s 宜取 5m～10m。

2 隔坡垂直投影宽度 B_g 的确定应遵循下列原则：

1) B_s 与 B_g 比值宜取 1∶1～1∶3。

2) 应根据地面坡度、土质、植被和当地降雨情况，确定隔坡部分在设计暴雨条件下产生的径流、泥沙量和林草需水量，作为确定 B_g 的主要依据。

3) 应根据水平田面部分的宽度、土壤渗透性，分析暴雨中田面接受降雨后再接受隔坡部分径流的能力，具体确定 B_s 和 B_g，要求在设计暴雨条件下水平田面能全部拦蓄隔坡的径流不发生漫溢。B_s 和 B_g 应相互适应，根据不同情况通过试算确定。

6.3 埂坎植物设计

6.3.1 梯田埂坎宜充分利用并种植埂坎植物，应选种经济价值高、胁地较小的植物，宜以乡土植物为主。

6.3.2 土坎梯田田面可根据田面宽度、坎高、坎坡度配置相应植物。田面宽度北方小于 6m、南方小于 4m 时，宜配置灌草植物；田面宽度北方不小于 6m、南方不小于 4m 时，宜配置乔灌木。黄土高原土质梯坎高而缓时，可在坎上修筑一台阶，在台阶上种植。梯田设埂时，宜在埂内种植 1 行乔灌木或草本植物。

6.3.3 石坎梯田田面宽度小于 4m 时，不宜配置埂坎乔木植物，宜在埂内或坎下种植有经济价值的 1 行灌木、草本或攀缘植物；田面宽度大于 4m 时，宜种植灌或乔木经济树种。

6.4 田间道路设计

6.4.1 田间道路选线应与自然地形相协调，避免深挖高填；应与梯田、小型蓄排工程等协调；路面宽度应根据生产作业与使用机械的情况取 1m～5m；纵坡不宜大于 8%。

6.4.2 路面排水应与梯田排水结合。

6.4.3 结合当地条件,可采用水泥、砂石、泥结碎石、素土等路面。

6.5 施工组织

6.5.1 梯田应根据地形坡度、土层厚度和田面宽度条件,确定合理的表土剥离和回覆方案。

6.5.2 梯田施工宜安排在秋冬季节。

6.5.3 梯田施工应先修筑临时道路,充分利用施工机械和设备;临时道路宜和田间道路永临结合。

6.5.4 田坎修筑时,石坎砌石粒径大于300mm的不得少于70%;土坎应分层夯筑,每层铺虚土厚度不应大于0.2m,田坎压实度不应小于90%。

7 淤地坝工程

7.1 一般规定

7.1.1 在下游有居民点、学校、工矿、交通等重要设施的沟道内不宜布设大、中型淤地坝。

7.1.2 在同一沟道内,当上游有大型淤地坝时,其下游不宜布设同等级淤地坝,确需布设时,应进行论证。

7.1.3 中、小型淤地坝原则上应布设在大型淤地坝坝控区域内,否则需提高设计标准。

7.1.4 大型淤地坝由坝体、放水建筑物、溢洪道组成,当不具备设置溢洪道条件时,应对其安全进行论证。

7.1.5 淤地坝放水建筑物应满足 7 天放完库内滞留洪水的要求。

7.1.6 场地地震基本烈度为 7 度以下地区布设淤地坝工程可不进行抗震计算,地震基本烈度 7 度及以上地区布设淤地坝应作专门论证。

7.2 坝址、坝型和工程布置

7.2.1 坝址附近应有较充足的筑坝材料,且材料的种类、性质、数量、位置和运输条件应满足坝型选择的要求。

7.2.2 大中型淤地坝应有便于布设放水工程、溢洪道的地形和地质条件,宜选择岩基或黏土基础。

7.2.3 坝址应避开较大弯道、跌水、泉眼、断层、滑坡体、洞穴等,坝肩不得有冲沟。

7.2.4 淤地坝库区应淹没损失小,对村镇、工矿、交通干线、高压线路的安全影响小。

7.2.5 坝型选择应符合下列要求:

1 黄土料丰富地区,宜采用碾压式土坝。

2 石料丰富,相对容易采集,且土料缺乏时可采用浆砌石坝。

3 结合当地的自然经济条件、坝址地形地质条件、建筑材料情况等,经技术经济比较后选择其他坝型。

7.2.6 坝体布置应遵循坝轴线短的原则,宜采用直线型布置方式。

7.2.7 溢洪道布置应符合下列要求:

1 溢洪道布设应利用开挖量小的有利地形,进、出口附近的坝坡和岸坡应有可靠的防护措施和足够的稳定性。

2 溢洪道布置宜避开堆积体和滑坡体。

3 进水口距坝肩不应小于10m,出水口距下游坝脚不应小于20m。

4 当坝址上游有较大支沟汇入时,溢洪道应布设在有支沟一侧的岸坡上。

7.2.8 放水工程布置应符合下列要求:

1 卧管布置应根据坝址地形条件、运行管护方式等因素,选择岸坡稳定、开挖量小的位置,卧管涵洞连接处应设消力池或消力井。

2 涵洞轴线布设宜采用直线型并与坝轴线垂直;当受地形、地质条件限制需转弯时,弯道曲率半径应大于洞径的5倍;涵洞的进、出口均应伸出坝体以外。涵洞出口水流应采取妥善的消能措施,并应使消能后的水流与尾水渠或下游沟道衔接。

3 涵洞应布设在岩基或稳定坚实的原状土基上,不得布置在坝体填筑体上。

7.3 坝 体 设 计

7.3.1 碾压坝土料其有机质含量不应超过5%,水溶盐含量不应超过5%,渗透系数不应大于1×10^{-4}cm/s;坝体填筑土料压实度不应小于94%,无黏性土相对密度不得小于0.65。

7.3.2 总库容和拦泥库容应按下列公式计算。滞洪库容的确定应包括两种情况:不设溢洪道时,应按本规范表5.2.4中建筑物级别设计标准对应的校核洪水计算;设置溢洪道时,应进行调洪计算。

$$V = V_L + V_z \tag{7.3.2-1}$$

$$V_L = \frac{\overline{W}_{sb}(1-\eta_s)N}{\gamma_d} \tag{7.3.2-2}$$

式中:V——总库容($10^4 m^3$);

V_L——拦泥库容($10^4 m^3$);

V_z——滞洪库容($10^4 m^3$);

$\overline{W}_{sb}$——多年平均总输沙量($10^4 t/a$),按本规范附录A计算;

η_s——坝库排沙比,可采用当地经验值;

N——设计淤积年限(a),可按表7.3.2确定;

γ_d——淤积泥沙干容重,可取$1.3t/m^3 \sim 1.35t/m^3$。

表7.3.2 淤地坝淤积年限

工程等别	工程规模		泥沙设计淤积年限(a)
Ⅰ	大型淤地坝	1型	20~30
		2型	10~20
Ⅱ	中型淤地坝		5~10
Ⅲ	小型淤地坝		5

7.3.3 坝顶高程应为校核洪水位高程加安全超高。

7.3.4 坝高应由拦泥坝高、滞洪坝高和安全超高三部分组成。拦泥高程和校核洪水位高程应由相应库容查水位库容关系曲线确定。

7.3.5 安全超高应根据坝高,按表7.3.5确定。

表7.3.5 坝体安全超高

坝高(m)	<10	10~20	20~30
安全超高(m)	0.5~1.0	1.0~1.5	1.5~2.0

7.3.6 碾压坝坝顶宽度应根据坝高,按表 7.3.6 确定。

表 7.3.6 碾压坝坝顶宽度

坝高(m)	<10	10~20	20~30
坝顶宽度(m)	2~3	3~4	4~5

注:坝顶宽度不得小于 2m,如因交通需要,坝顶宽度可适当增加。

7.3.7 碾压坝不同坝高应分别采取不同的上下游坝坡,坝坡坡比应按表 7.3.7 确定。

表 7.3.7 碾压坝不同坝高的坝坡坡比

部 位	坝高(m)		
	<10	10~20	20~30
上游坝坡	1.50	1.50~2.00	2.00~2.50
下游坝坡	1.25	1.25~1.50	1.50~2.00

注:当采用砂壤土筑坝时,坝坡坡比应经稳定分析后确定。

7.3.8 坝高超过 15m 时,应在下游坡每隔 10m 左右设置一条马道,马道宽度应取 1.0m~1.5m。

7.3.9 坝体排水有棱式反滤体和斜卧式反滤体(图 7.3.9)两种形式,可结合工程具体条件选定。

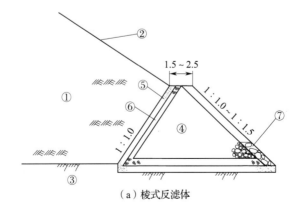

(a)棱式反滤体

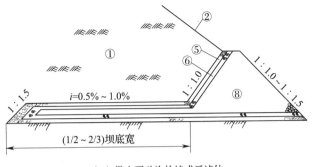

（b）带水平砂沟的棱式反滤体

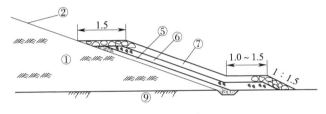

（c）斜卧式反滤体

图7.3.9 反滤体示意图

①—坝体；②—坝坡；③—透水地基；④—卵石；⑤—粗沙；⑥—小砾石；
⑦—干砌块石；⑧—块石；⑨—非岩石地基

7.3.10 棱式反滤体高度应由坝体浸润线位置确定，顶部高程应超出下游最高水位0.5m～1.0m，坝体浸润线距坝面的距离应大于该地区的冻结深度；顶部宽度应根据施工条件及检查观测需要确定，但不宜小于1.0m；应避免在棱体上游坡脚处出现锐角。

7.3.11 斜卧式反滤体顶部高程应高于坝体浸润线出逸点，超过的高度应使坝体浸润线位于在该地区的冻结深度以下1.5m；底脚应设置排水沟或排水体；材料应满足护坡的要求。

7.3.12 反滤体高宜取坝高的1/6～1/5，但需进行渗流计算，确定逸出点。反滤体尺寸可根据坝高情况，并应按表7.3.12初步选定。

表 7.3.12 反滤体尺寸

项　目		坝高(m)			
		10～15	15～20	20～25	25～30
反滤体高度(m)		2.0～2.5	2.5～3.0	3.0～3.5	3.5～4.0
棱式	顶宽(m)	1.50	1.50～2.00	2.00～2.50	2.50～3.00
	外坡比	1∶1.5	1∶1.5	1∶1.5	1∶1.5
	内坡比	1∶1.00	1∶1.25	1∶1.25	1∶1.25
	底宽(m)	6.00～8.01	8.01～9.75	9.75～11.62	11.62～13.00
斜卧式	砂层厚(m)	0.20	0.25	0.30	0.30
	碎石层厚(m)	0.20	0.25	0.30	0.30
	块石层厚(m)	0.50	0.60	0.70	0.80
	顶宽(m)	1.00	1.50	2.00	2.00

7.3.13 坝体稳定计算方法应符合本规范附录B的规定。淤地坝设计条件应根据所处的工作状况和作用力性质分为正常和非常运用条件。正常运用条件应为淤地坝处于设计洪水位的稳定渗流期。非常运用条件应为施工期工况、校核洪水位工况、正常运用遭遇地震工况。

7.3.14 土坝表面应设置护坡。护坡型式包括植物护坡、砌石护坡、混凝土护坡、混凝土框格护坡，可因地制宜选用。

7.3.15 护坡的型式、厚度及材料粒径等应根据坝的级别、运用条件和当地材料情况，经技术经济比较后确定。

7.3.16 护坡的覆盖范围应符合下列要求：

　　1 上游面自坝顶至淤积面；

　　2 下游面自坝顶至排水棱体；

　　3 无排水棱体时应护至坝脚。

7.3.17 土坝下游坡面应设置纵、横向排水沟。排水沟可采用浆砌石砌筑或混凝土现浇。横向排水沟应设置在坝体与两岸结合处，有马道时，纵向排水沟宜与马道一致，并应设于马道内侧，与横向排水沟连通。

7.4 溢洪道设计

7.4.1 大、中型淤地坝宜采用陡坡式溢洪道。

7.4.2 宽顶堰陡坡式溢洪道应由进口段、泄槽和消能设施三部分组成(图7.4.2)。

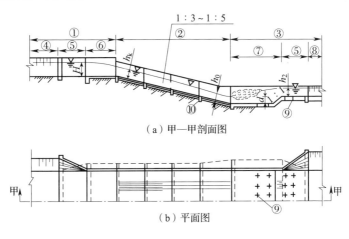

图7.4.2 溢洪道示意图

①—进水段；②—泄槽；③—出口段；④—引水渠；⑤—渐变段；
⑥—溢流堰；⑦—消力池；⑧—尾渠；⑨—排水孔；⑩—截水齿墙

7.4.3 进口段由引水渠、渐变段和溢流堰组成。引水渠进口底板高程应采用设计淤积面高程，可选用梯形断面。

7.4.4 中等风化岩石引水渠边坡应为1∶0.5～1∶0.2，微风化岩石引水渠边坡应为1∶0.1，新鲜岩石引水渠边坡可直立；土质边坡设计过水断面以下边坡不应陡于1∶1.0，以上不应陡于1∶0.5。

7.4.5 溢流堰宜采用矩形断面。溢流堰长度宜取堰上水深的3倍～6倍。溢流堰及其边墙宜采用浆砌石修筑，堰底靠上游端应设置砌石齿墙，深度宜取1.0m，厚度宜取0.5m，堰宽应按下列公式计算：

$$B = \frac{q}{MH_0^{3/2}} \quad (7.4.5-1)$$

$$H_0 = h + \frac{V_0^2}{2g} \quad (7.4.5-2)$$

式中：B——溢流堰宽（m）；

　　　q——溢洪道设计流量（m³/s）；

　　　M——流量系数，可取 1.42～1.62；

　　　H_0——计入行进流速的水头（m）；

　　　h——溢洪水深（m），即堰前溢流坎以上水深；

　　　V_0——堰前流速（m/s）；

　　　g——重力加速度，取 9.81m/s²。

7.4.6 泄槽在平面上宜采用直线型式沿轴线对称布置，宜采用矩形断面，浆砌石或混凝土衬砌，坡度根据地形可采用 1:3.0～1:5.0，底板衬砌厚度可取 0.3m～0.5m。顺水流方向每隔 5m～8m 应设置沉陷缝，遇地基变化时，应增设沉陷缝。泄槽基础每隔 10m～15m 应设置齿墙，深度宜为 0.8m，宽度宜为 0.4m。泄槽边墙高度应按设计流量计算，高出水面线 0.5m，并满足下泄校核流量的要求。矩形断面的临界水深可按下式计算：

$$h_k = \sqrt[3]{\frac{aq^2}{g}} = 0.482 q^{2/3} \quad (7.4.6)$$

式中：h_k——临界水深（m）；

　　　a——系数，可取 1.1；

　　　q——陡坡单宽流量[m³/(s·m)]；

　　　g——重力加速度，取 9.81m/s²。

7.4.7 溢洪道出口可采用消力池消能或挑流消能形式。

7.4.8 在土基或破碎软弱岩基上的溢洪道，宜选用消力池消能，采用等宽矩形断面。

7.4.9 岩基较好的溢洪道可采用挑流消能，在挑坎末端应设齿墙，基础嵌入新鲜完整的岩石，在挑坎下游应设护坦。挑流消能水力设计应包括确定挑流水舌挑距和最大冲坑深度。挑流水舌外缘挑距可按下式计算：

$$L = \frac{1}{g}\left[v_1^2\sin\theta\cos\theta + v_1\cos\theta\sqrt{v_1^2\sin^2\theta + 2g(h_1\cos\theta + h_2)}\right]$$

(7.4.9-1)

式中：L——挑流水舌外缘挑距(m)，自挑流鼻坎末端算起至下游沟床床面的水平距离；

v_1——鼻坎坎顶水面流速(m/s)，可取鼻坎末端断面平均流速 v 的 1.1 倍；

θ——挑流水舌水面出射角(°)，可近似取鼻坎挑角，挑射角度应经比较选定，可采用 15°～35°，鼻坎段反弧半径可采用反弧最低点最大水深的 6 倍～12 倍；

h_1——挑流鼻坎末端法向水深(m)；

h_2——鼻坎坎顶至下游沟床高程差(m)，如计算冲刷坑最深点距鼻坎的距离，该值可采用坎顶至冲坑最深点高程差。

其中鼻坎末端断面平均流速 v 可按下列两种方法计算：

1 按流速公式计算，使用范围为 S 小于 $18q^{2/3}$：

$$v = \phi\sqrt{2gZ_0} \quad (7.4.9\text{-}2)$$

$$\phi^2 = 1 - \frac{h_f}{Z_0} - \frac{h_j}{Z_0} \quad (7.4.9\text{-}3)$$

$$h_f = 0.014 \times \frac{S^{0.767} \cdot Z_0^{1.5}}{q} \quad (7.4.9\text{-}4)$$

式中：v——鼻坎末端断面平均流速(m/s)；

q——泄槽单宽流量[m³/(s·m)]；

ϕ——流速系数；

Z_0——鼻坎末端断面水面以上的水头(m)；

h_f——泄槽沿程损失(m)；

h_j——泄槽各局部损失水头之和(m)，h_j/Z_0 可取 0.05；

S——泄槽流程长度(m)。

2 按推算水面线方法计算,鼻坎末端水深可近似利用泄槽末端断面水深,按推算泄槽段水面线方法求出;单宽流量除以该水深,可得鼻坎断面平均流速。

冲刷坑深度可按下式计算:

$$T = k q^{1/2} Z^{1/4} \tag{7.4.9-5}$$

式中:T——自下游水面至坑底最大水垫深度(m);

k——综合冲刷系数;

q——鼻坎末端断面单宽流量[m³/(s·m)];

Z——上、下游水位差(m)。

7.4.10 对超过消能防冲设计标准的洪水,允许消能防冲建筑物出现部分破坏,但不应危及坝体及其他主要建筑物的安全,且易于修复,不得长期影响枢纽运行。

7.4.11 小型淤地坝溢洪道设计可按本规范第 7.4.1 条~第 7.4.10 条的规定执行。

7.5 放水建筑物设计

7.5.1 放水建筑物型式可采用卧管式或竖井式,主要构筑物应包括卧管或竖井、涵洞和消能设施。

7.5.2 卧管式放水工程(图 7.5.2)应包括平进水和侧进水两种形式。

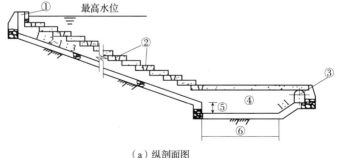

(a)纵剖面图

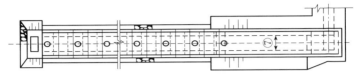

(b）平面图

图 7.5.2 卧管示意图

①—通气孔；②—放水孔；③—涵洞；④—消力池；⑤—池深；⑥—池长；⑦—池宽

7.5.3 卧管应布置在坝上游岸坡，宜与溢洪道同侧。卧管底坡宜取 1∶2.0～1∶3.0，卧管底板每隔 5m～8m 应设置齿墙，并应根据地基变化情况适地设置沉陷缝，采用浆砌石或混凝土砌筑成台阶，台阶高差应为 0.3m～0.5m，每台设一个或两个放水孔，卧管与涵洞连接处应设置消力池。卧管放水流量可按 4d～7d 泄完设计频率一次洪水总量或者 3d～5d 泄完 10 年一遇洪水总量。

卧管放水孔直径可按下列公式计算：

开启一级孔：

$$d=0.68\sqrt{\frac{Q}{H_1^{1/2}}} \qquad (7.5.3\text{-}1)$$

同时开启二级孔：

$$d=0.68\sqrt{\frac{Q}{H_1^{1/2}+H_2^{1/2}}} \qquad (7.5.3\text{-}2)$$

同时开启三级孔：

$$d=0.68\sqrt{\frac{Q}{H_1^{1/2}+H_2^{1/2}+H_3^{1/2}}} \qquad (7.5.3\text{-}3)$$

式中： d——放水孔直径(m)；

Q——放水流量(m^3/s)；

H_1、H_2、H_3——各级孔上水深(m)。

7.5.4 计算卧管、消力池的断面时，设计流量比正常运用时的流量加大 20%～30%。

7.5.5 方形卧管高度应取卧管正常水深的 3 倍～4 倍，圆形卧管直径应取卧管正常水深的 2.5 倍，并应分析放水孔水流跌落卧管时的水柱跃起高度。

7.5.6 卧管消力池下游水深应取涵洞的正常水深。

7.5.7 涵洞形式应包括方形、拱形和圆形,并应根据各地条件采用。

7.5.8 涵洞(管)应布设在高于坝基一侧的原状土上,并应根据地形地质条件合理确定涵洞(管)高度。

7.5.9 涵洞底坡宜取1∶100~1∶200。混凝土涵管管径不应小于0.8m;方涵和拱涵断面宽不应小于0.8m,高不应小于1.2m。涵洞内水深应小于涵洞净高的75%。沿涵洞纵向每隔10m~15m应设置截水环,截水环厚度应为0.6m~0.8m,伸出管壁外层应为0.4m~0.5m。

7.5.10 涵洞结构尺寸应根据涵洞断面及洞上填土高度计算确定。

7.5.11 涵洞泄水应经消能后送至沟床。

7.5.12 竖井式放水工程(图7.5.12)应采用浆砌石修筑,断面形状应采用圆环形或方形,内径宜取0.8m~1.5m,井壁厚度宜取

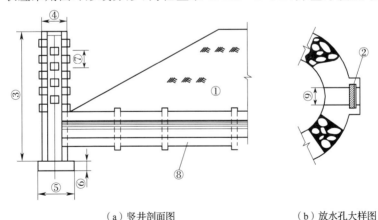

(a)竖井剖面图　　　(b)放水孔大样图

图7.5.12　竖井结构图

①—土坝;②—插板闸门;③—竖井高;④—竖井外径;⑤—井座宽;
⑥—井座厚;⑦—放水孔距;⑧—涵洞;⑨—放水孔直径

0.3m～0.6m,沿井壁垂直方向每隔 0.3m～0.5m 可设一对放水孔;井底应设消力井,井深宜为 0.5m～2.0m;放水孔应相对交错排列,孔口处设门槽,插入闸板控制放水,竖井下部应与涵洞相连。当竖井较高或地基较差时,井底应设置井座。

7.5.13 竖井放水孔(图 7.5.13)孔口面积可按下列公式计算:

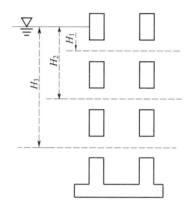

图 7.5.13 竖井放水孔面积计算示意图

设一层放水孔放水:$\omega = \dfrac{Q}{n\mu \sqrt{2gH_1}}$ (7.5.13-1)

设二层放水孔放水:$\omega = \dfrac{Q}{n\mu \left(\sqrt{2gH_1} + \sqrt{2gH_2}\right)}$ (7.5.13-2)

设三层放水孔放水:$\omega = \dfrac{Q}{n\mu \left(\sqrt{2gH_1} + \sqrt{2gH_2} + \sqrt{2gH_3}\right)}$

(7.5.13-3)

式中:ω——放水孔形式相同、面积相等时,一个放水孔过水断面积(m^2);

Q——放水流量(m^3/s);

n——放水孔孔数(个);

μ——流量系数,取 0.65;

H_1——水面至孔口中线的距离(m);

H_2——水面至第二层孔口中线的距离(m);

H_3——水面至第三层孔口中线的距离(m)。

7.6 地基及岸坡处理

7.6.1 坝体填筑前应对地基及岸坡进行处理,拆除各种建筑物,清除草皮、树根、腐殖土等,清理并回填夯实水井、洞穴、坟墓等。

7.6.2 透水坝基应采用截渗或排渗措施进行处理,满足渗透稳定和允许渗流量要求。

7.6.3 土质岸坡削坡不应陡于1∶1.0;岩石岸坡削坡不应陡于1∶0.5。

7.6.4 坝基、岸坡应设结合槽,底宽不应小于1.0m,深度不应小于1.0m,边坡可取1∶1.0;坝高在20m以下的,可设1道结合槽;坝高在20m~30m的,宜设2道结合槽。岩石基础应设置结合齿墙,齿墙尺寸和条数应符合有关设计要求。

7.6.5 湿陷性较强、厚度较大的黄土地基或台地,应采用预浸水法处理。

7.6.6 淤土坝基应选用下列办法处理:截断上游来水,使淤土自然固结;开挖导渗沟,促使淤土排水固结;淤土强度较低时,可采用填干土(或抛石)挤淤修筑阻滑体,或修筑人工盖重。

7.6.7 岩石地基应先清除表层覆盖物,再打眼放小炮开挖;接近设计高程0.5m时,应改用人工开凿;断层破碎带应采用深挖充填置换方法处理。

7.6.8 坝基泉眼和裂隙渗水应采用箱堵塞法和水玻璃(硅酸钠)掺水泥等方法处理;当泉水和裂隙渗水较大时,应铺设排水管。

7.7 施工组织

7.7.1 施工导流建筑物度汛洪水重现期宜选取5a。

7.7.2 施工期坝体防洪度汛标准应达到20年一遇洪水重现期。

7.7.3 碾压坝坝体填筑土料含水量应按最优含水量控制。碾压施工应沿坝轴方向铺土,厚度均匀,每层铺土厚度不宜超过0.25m,压迹重叠应达到0.10m～0.15m。若采用大型机械,其铺土厚度应根据土壤性质、含水量、最大干密度、压实遍数、机械吨位等经试验确定,压实后土壤干容重应根据压实度控制。

8 拦沙坝工程

8.1 一般规定

8.1.1 拦沙坝主要适用于南方崩岗治理，以及土石山区多沙沟道的治理。

8.1.2 拦沙坝不得兼作塘坝或水库的挡水坝使用。

8.1.3 拦沙坝设计应调查沟道来水、来沙情况及其对下游的危害和影响，重点收集下列资料：

  1 应调查崩岗、崩塌体，包括崩岗、崩塌体位置和形态、崩岗和崩塌体稳定状况、治理现状、治理经验及可能的崩塌量等资料。

  2 应调查山洪灾害现状和治理现状，主要包括洪水中的泥沙土石组成和来源资料、沟道堆积物状况以及两岸坡面植被情况。在西南土石山区应根据需要调查石漠化情况。

8.2 工程布置

8.2.1 拦沙坝布置应因害设防，在控制泥沙下泄、抬高侵蚀基准和稳定边岸坡体坍塌的基础上，应结合后续开发利用。

8.2.2 沟谷治理中拦沙坝宜与谷坊、塘坝等相互配合，联合运用。

8.2.3 崩岗地区单个崩岗治理应按"上截、中削、下堵"的综合防治原则，在下游因地制宜布设拦沙坝。

8.3 坝址坝型选择

8.3.1 坝址选择应遵循坝轴线短、库容大、便于布设排洪泄洪设施的原则。

8.3.2 崩岗地区拦沙坝坝址应根据崩岗、崩塌体和沟道发育情况，以及周边地形、地质条件进行选择，包括在单个崩岗、崩塌体崩口处筑坝,或在崩岗、崩塌体群下游沟道筑坝两种型式。

8.3.3 土石山区拦沙坝坝址应根据沟道堆积物状况、两侧坡面风化崩落情况、滑坡体分布、上游泥沙来量及地形地质条件等选定。

8.3.4 拦沙坝坝型应根据当地建筑材料状况、洪水、泥沙量、崩塌物的冲击条件,以及地形地质条件确定,并进行方案比较。

8.3.5 坝轴线宜采用直线。当采用折线型布置时,转折处应设曲线段。

8.3.6 泄洪建筑物宜采用开敞式无闸溢洪道,重力坝可采用坝顶溢流,土石坝宜选择有利地形布设岸边泄水建筑物。

8.4 规 模 确 定

8.4.1 拦沙坝总库容应由拦沙库容和滞洪库容两部分组成。

8.4.2 拦沙坝工程设计洪峰流量、设计洪水总量应按本规范附录A进行计算,调洪应按下列公式计算:

$$V_1+\frac{1}{2}(Q_1+Q_2)\Delta t = V_2+\frac{1}{2}(q_1+q_2)\Delta t \quad (8.4.2\text{-}1)$$

$$q_p = Q_p\left(1-\frac{V_z}{W_p}\right) \quad (8.4.2\text{-}2)$$

式中:V_1、V_2——时段初、时段末库容(10^4m^3);

Q_1、Q_2——时段初、时段末入库流量(m^3/s);

q_1、q_2——时段初、时段末出库流量(m^3/s);

Δt——时段长度(h);

Q_p——区间面积频率为 p 的设计洪峰流量(m^3/s);

q_p——频率为 p 的洪水时溢洪道最大下泄流量(m^3/s);

V_z——滞洪库容(10^4m^3);

W_p——频率为 p 的设计洪水总量(10^4m^3)。

8.4.3 拦沙坝淤积年限应按下式计算:

$$N=\frac{V\gamma_s}{W} \quad (8.4.3)$$

式中:N——淤积年限(a);

V——可淤库容(m^3);

γ_s——淤积泥沙干容重(t/m^3);

W——多年平均输沙量(t)。

8.4.4 多年平均输沙量计算应符合下列规定:

1 多年平均输沙量计算应按本规范附录 A 规定执行。

2 应分析已有的、正在实施的和计划在近期内完成的各类水土保持措施对多年平均输沙量的影响。

3 应分析坝址上游崩岗、崩塌体的崩塌量对拦沙坝来沙量的影响。

8.5 坝 体 设 计

8.5.1 坝顶高程确定应符合下列规定:

1 坝顶高程应为校核洪水位加坝顶安全超高,坝顶安全超高值可取 0.5m~1.0m。

2 坝高 H 应由拦泥坝高 H_L、滞洪坝高 H_z 和安全超高 ΔH 三部分组成,拦泥高程和校核洪水位应由相应库容、查水位库容关系曲线确定。

8.5.2 土石坝筑坝材料选择与填筑应符合下列规定:

1 筑坝材料应就地、就近取材,优先选择崩岗削级、修坡开挖料。

2 防渗土料渗透系数不宜大于 1×10^{-4} cm/s。

3 坝壳料可利用无黏性土、石料、风化料和砾石土。

4 黏性土的填筑标准应按压实度确定,压实度不应小于94%;无黏性土土填筑标准按相对密度确定,相对密度不得小于0.65。

8.5.3 重力坝筑坝材料选择与浇筑应符合下列规定:

1 浆砌石重力坝所用砌石应新鲜、完整,质地坚硬、不得有剥落层及裂纹。胶凝材料可采用水泥砂浆或者一、二级配混凝土。

2 混凝土重力坝混凝土标号不宜低于 $R_{90}100$。

8.5.4 土石坝坝体结构与构造应符合下列规定：

1 坝体上下游边坡应经稳定计算确定。

2 坝顶宽度应根据构造、施工、运行等因素确定。当无特殊要求时，坝顶宽度不宜小于 3.5m。坝顶盖面材料宜采用密实的砂砾石、碎石或单层砌石等柔性材料。

3 坝体下游护坡施工完毕后应种植适生草本固坡。

4 坝高大于 10m 时，在下游坝坡脚应设反滤排水体。

8.5.5 重力坝坝体结构与构造应符合下列规定：

1 重力坝上游坝面可为铅直面、斜面或者折面。下游坝坡应根据稳定及应力计算确定。

2 浆砌石重力坝坝顶宽度不应小于 0.5m，混凝土重力坝坝顶宽度不应小于 0.3m。

8.5.6 土石坝坝基处理应符合下列规定：

1 坝断面范围内应清除坝基与岸坡上的草皮、树根、含有植物的表土、卵石、垃圾及其他废料，并应将清理后的坝基表面土层压实。

2 土质防渗体底部坝基应开挖接合槽，并应用黏土回填夯实。

3 坝基覆盖层与下游坝壳粗粒料接触处应符合反滤要求，不符合时应设置反滤层。

8.5.7 重力坝坝基处理后应符合下列规定：

1 应具有足够的强度。

2 应具有足够的整体性和均匀性。

3 应具有足够的耐久性。

8.5.8 坝的计算与分析应符合下列规定：

1 土石坝坝型拦沙坝应进行渗流及稳定计算。

2 重力坝坝型拦沙坝应进行稳定及应力计算。

8.6 溢洪道设计

8.6.1 泄水建筑物溢洪道应进行稳定及应力计算。

8.6.2 土石拦沙坝坝体上的泄槽应补充计算泄槽沉降。泄槽分缝应采用半搭接缝、全搭接缝或者键槽缝。缝间应设置止水,宜在泄槽底板上游端设置齿槽。

8.7 施工组织

8.7.1 拦沙坝宜在枯水期施工。当需跨汛期施工时,应按现行行业标准《水利水电工程施工组织设计规范》SL 303 的有关规定进行施工导流设计。

8.7.2 工程施工、交通运输、施工总布置及施工进度可按现行行业标准《水利水电工程施工组织设计规范》SL 303 的有关规定执行。

9 塘坝和滚水坝工程

9.1 一 般 规 定

9.1.1 塘坝应根据洪水调节计算确定工程规模。滚水坝应根据其作用、地质、水文等因素确定规模,有灌溉任务的滚水坝坝顶高程确定应满足灌溉需求。

9.1.2 塘坝和滚水坝设计应具备下列基本资料:

 1 区域气候、降水、蒸发等水文气象资料。

 2 坝址区1∶1000～1∶500地形图,库区1∶5000～1∶2000地形图,坝址断面图1∶500～1∶100。

 3 区域地质资料及坝区地质情况。

 4 灌溉面积、人畜用水、养殖等社会经济情况。

 5 工程所在河流河道纵横断面图等。

9.2 工 程 布 置

9.2.1 塘坝工程布置应符合下列规定:

 1 塘坝由坝体、溢洪道和放水建筑物组成,坝体材料为砌石和混凝土的,可采用坝顶溢流方式。布置应力求紧凑,满足功能要求,节省工程量,并应方便施工和运行管理。

 2 溢洪道宜修建在天然垭口上,如无天然垭口,溢洪道可布置在靠近坝肩处,土质溢洪道进口段应采取防护措施,溢洪道出口应采取消能措施。

 3 放水建筑物布置宜与坝轴线垂直。放水建筑物应布设在岩基或稳定坚实的原状土基上,不得布置在坝体填筑体上。

9.2.2 滚水坝工程布置应满足防洪要求,坝面无不利的负压或振动,下泄水流不得造成危害性冲刷。

9.3 坝址坝型选择

9.3.1 坝址选择应符合下列规定：
  1 应根据地形、地质、水源条件、建筑材料、建筑物布置及上下游情况,经比较后确定。
  2 宜选择地质构造简单的岩基、厚度不大的砂砾石地基或密实的土基。
  3 有灌溉要求的,宜选择位置较高处,实现自流供水;有人畜用水要求的,应靠近供水对象。

9.3.2 塘坝坝型选择应符合下列要求：
  1 当坝址附近有性质适宜、数量足够的土料时,宜选用均质土坝。
  2 当坝址附近无性质适宜、数量足够的土料时,宜选用土质防渗体分区坝或非土质材料防渗体坝。
  3 当坝址附近有性质适宜、数量足够的石料时,宜选用砌石坝。

9.3.3 滚水坝坝型应根据地形、地质以及建筑材料等条件,选择浆砌石坝、混凝土坝。

9.4 规模确定

9.4.1 塘坝总库容应由死库容、兴利库容和滞洪库容组成。

9.4.2 死库容和死水位的确定应符合下列规定：
  1 来沙量很小时,应按自流灌溉需求确定死水位。
  2 来沙量较大时,应按公式下列公式确定死库容：

$$V_{死}=N(V_{淤}-\Delta V)/\gamma_d \qquad (9.4.2\text{-}1)$$

$$V_{淤}=\frac{\overline{W}\eta F}{100\gamma_d} \qquad (9.4.2\text{-}2)$$

式中：$V_{死}$——死库容(m^3);
  $V_{淤}$——年淤积量(m^3);
  ΔV——年均排沙量(m^3);

N——淤积年限(a);

γ_d——淤积泥沙干容重,可取 $1.2t/m^3 \sim 1.4t/m^3$;

$\overline{W}$——多年平均侵蚀模数$[t/(km^2 \cdot a)]$;

η——输移比,可根据经验确定;

F——流域集水面积(hm^2)。

3 死库容确定后,应由塘坝水位库容曲线查算死水位。

9.4.3 确定兴利库容和正常蓄水位应符合下列规定:

1 应根据多年平均来水量确定兴利库容,兴利库容应按下式计算:

$$V_{兴} = \frac{10h_0 F}{n} \quad (9.4.3)$$

式中:$V_{兴}$——兴利库容(m^3);

h_0——流域多年平均径流深(mm);

n——系数,根据实际情况确定,宜取 $1.5 \sim 2.0$;

F——流域集水面积(hm^2)。

2 塘坝多年平均来水量较大时,可按计算总用水量确定塘坝的兴利库容,兴利库容可视具体情况按计算总用水量的 $40\% \sim 50\%$ 选定。

3 兴利库容确定后,应由塘坝水位库容曲线查算正常蓄水位。

9.4.4 确定滞洪库容和校核洪水位应符合下列规定:

1 塘坝的调洪演算可用简化方法计算,假定来水过程线为三角形,滞洪库容可按下式计算:

$$q_{泄} = Q(1 - V_{滞}/W) \quad (9.4.4)$$

式中:$q_{泄}$——溢洪道及泄水洞最大下泄流量(m^3/s);

Q——设计洪峰流量(m^3/s);

$V_{滞}$——滞洪库容(m^3);

W——校核洪水总量(m^3)。

2 调洪库容确定后,应由塘坝库容曲线查算校核洪水位。

9.5 坝体设计

9.5.1 塘坝断面设计应符合下列要求：

1 坝顶高程应为校核洪水位加坝顶安全超高，坝顶安全超高值应采用 0.5m～1.0m。

2 坝顶宽度应满足施工和运行检修要求。当坝顶有交通要求时，路面宽度宜按公路标准确定。对于心墙坝或斜墙坝，坝顶宽度应能满足心墙、斜墙及反滤过渡层的布置要求，在寒冷地区，黏土心墙或斜墙上下游侧保护土层厚度应大于当地冻结深度。

3 坝体断面宜采用梯形。坝体断面设计应根据坝高、建筑材料、坝址的地形和地基条件，以及当地的水文、气象、施工等因素合理确定。

9.5.2 滚水坝顶部应为堰面曲线，底部应采用反弧曲线与下游消能设施衔接，各段间宜采用切线连接。

9.5.3 结构设计应符合下列要求：

1 采用砌石坝或混凝土坝时，结构设计应包括应力计算和抗滑稳定计算，坝高低于 5m 的，应力计算和抗滑稳定计算可适当简化。

2 基本荷载应包括下列内容：

1）坝体自重；
2）正常蓄水位或设计洪水位时坝上游面、下游面的静水压力；
3）扬压力；
4）淤沙压力；
5）正常蓄水位或设计洪水位时的浪压力；
6）冰压力；
7）土压力；
8）其他出现机会较多的荷载。

3 特殊荷载应包括下列内容：

1）校核洪水位时坝上游面、下游面的静水压力；
2）校核洪水位时的扬压力、校核洪水位时的浪压力；

3）地震荷载；

4）其他出现机会很少的荷载。

4 抗滑稳定及坝体应力计算的荷载组合应分为基本组合和特殊组合两种。荷载组合应按表9.5.3的规定选择。

表9.5.3 荷载组合表

荷载组合	主要考虑情况	荷载										附注
		自重	静水压力	扬压力	淤沙压力	浪压力	冰压力	地震荷载	动水压力	土压力	其他荷载	
基本组合	正常蓄水位情况	√	√	√	√	√				√	√	土压力根据坝体外是否有土石而定（下同）
	设计洪水位情况	√	√	√	√	√			√	√	√	
	冰冻情况	√	√	√	√		√			√	√	静水压力及扬压力按相应冬季库容水位计算
特殊组合	校核洪水位情况	√	√	√	√	√			√	√	√	
	地震情况	√	√	√	√	√		√		√	√	静水压力、扬压力和浪压力按正常蓄水位计算

注：1 应根据各种荷载同时作用的实际可能性，选择计算中最不利的荷载组合；

2 分期施工的坝应按相应的荷载组合分期进行计算；

3 施工期的情况作为特殊组合进行核算；

4 地震情况，按冬季计及冰压力时则不计浪压力；

5 "√"表示此荷载组合应计算本项荷载。

5 基底应力计算和坝体抗滑稳定计算应符合本规范附录 B 的相关要求。

9.5.4 塘坝防渗设计应符合下列要求：

1 土质防渗体断面应满足渗透比降、下游浸润线和渗透流量的要求。防渗体应自上而下逐渐加厚，心墙顶部厚度不应小于 0.8m，底部厚度不应小于 2.0m；斜墙顶部厚度不应小于 0.5m，底部不应小于 2.0m。心墙和斜墙防渗土料渗透系数不应大于 1×10^{-4} cm/s。

2 土工膜防渗体应在其上铺设保护层，其下设置垫层。防渗土工膜应与坝基、岸坡或其他建筑物形成封闭的防渗系统，应做好周边缝的处理。

3 防渗体顶部高程应高出正常蓄水位 0.3m 以上。

4 砌石坝迎水面应采用高强度水泥砂浆勾深缝防渗，并应对坝体与地基的连接部位进行防渗设计。

9.5.5 塘坝反滤层设计应符合下列要求：

1 在土质防渗体与坝壳排水体或坝基透水层之间，以及坝壳与坝基之间，应满足反滤要求，不满足时均应设置反滤层。

2 当采用几种不同性质的土石料填筑坝体时，靠近心墙或斜墙处宜填筑透水性较小、颗粒较细的土石料，靠近坝坡处宜填筑透水性较大、颗粒较粗的土石料。

3 反滤层的渗透性应大于被保护土，能通畅地排出渗透水流，使被保护土不发生渗透变形。同时反滤层还应耐久、稳定，不致被细粒土淤塞失效。

4 反滤层厚度应根据材料的级配、料源、用途等确定。人工施工时，水平反滤层每层的最小厚度可采用 0.30m，竖向或倾斜反滤层每层的最小厚度可采用 0.40m；采用机械施工时，最小厚度应根据施工方法确定。

9.5.6 坝体排水设计应符合下列要求：

1 坝型为均质土坝时，应设置坝体排水设施。

2 坝体排水应按反滤要求设计,排水设施可采用棱式排水、斜卧式排水等型式。

3 坝体排水设计应按本规范第 7.3.9 条～第 7.3.12 条的相关规定执行。

9.5.7 坝体护坡设计应符合下列要求：

1 坝体表面为土、砂、砾石等材料的塘坝,应设专门的坝体护坡。

2 塘坝迎水坡应采用护坡措施,护坡范围为坝顶至死水位以下,护坡型式可采用堆石、干砌块石、浆砌石。

3 塘坝背水坡可采用碎石(卵石)护坡和植物护坡型式。

4 在寒冷地区,坝体上下游护坡和垫层的厚度应分析冻结深度影响。

5 浆砌石护坡应设置伸缩缝和排水孔。

9.5.8 坝面排水设计应符合下列要求：

1 除干砌石或堆石护坡外,坝高 5m 以上塘坝坝坡应设置坝面排水设施。

2 排水沟可采用浆砌石或混凝土块砌筑。

3 坝体与岸坡连接处应设置排水沟,其集水面积应包括岸坡的有效集水面积。

9.6 泄洪消能及放水设施

9.6.1 泄洪消能设施设计应符合下列要求：

1 塘坝应设置泄洪设施,泄洪形式应结合地形条件、筑坝材料选择。

2 塘坝泄洪设施宜采用开敞式,且不宜设置闸门,堰顶高程宜与正常蓄水位齐平。

3 滚水坝和塘坝采用坝顶泄洪时,应进行消能防冲设计。

9.6.2 塘坝放水设施设计应符合下列要求：

1 塘坝应设置放水设施,放水设施可采用管涵和浆砌石拱涵。

2 放水设施的轴线与坝轴线应垂直,宜采用明流,其水深应小于净高的 75%,结构应采用混凝土或钢筋混凝土。当为压力流时,宜用钢管或钢筋混凝土管。

3 放水设施水深应按明渠均匀流公式计算,底坡取 1:1000～1:200。放水设施下泄水流应经消能后送至河道下游,消能建筑物结构设计应按本规范第 7.4 节的规定执行。

4 放水设施结构尺寸除根据水力计算确定外,还应结合检查和维修的要求,混凝土涵管管径不应小于 0.8m,浆砌石拱涵断面宽不应小于 0.8m,高不应小于 1.2m。混凝土涵管结构设计应按本规范第 7.5 节的规定执行。

9.7 地基及岸坡处理

9.7.1 土石坝地基及岸坡处理应符合下列要求:

1 应拆除各种建筑物,清除坝断面范围内地基与岸坡上的草皮、树根、腐殖土等,清理并回填夯实水井、洞穴等。

2 坝断面范围内岸坡应尽量平顺,不应成台阶状、反坡或突然变坡,岸坡上缓下陡时,凸出部位的变坡角宜小于 20°。

3 与防渗体接触的岩石岸坡不宜陡于 1:0.5,土质岸坡不宜陡于 1:1.5,防渗体与混凝土建筑物接触面的坡度不宜陡于 1:0.25。

4 土石坝的坝基处理应满足渗流控制、静力和动力稳定,允许沉降量等方面的要求。

9.7.2 浆砌石坝和混凝土坝地基及岸坡处理应满足坝体强度、稳定、刚度和防渗、耐久的要求。

9.8 施 工 组 织

9.8.1 导流与度汛应符合下列要求:

1 导流建筑物度汛洪水重现期应取 1a～3a。

2 应利用垭口、小冲沟、现有灌渠进行导流。

9.8.2 施工组织应符合下列要求：

1 施工道路宜利用现有乡村路和田间道路。

2 施工场地宜选择非耕地布置。

10 沟道滩岸防护工程

10.1 护地堤布置

10.1.1 护地堤布置应以少占农田、少拆迁为原则,应利于防汛抢险和工程管理,并应与道路交通、灌溉排水等工程结合。

10.1.2 护地堤堤线应与河势流向相适应,并应与洪水主流线大致平行。堤线应力求平顺,各堤段平缓连接,不得采用折线或急弯,并应利用现有护地堤和有利地形,宜修筑在土质较好、比较稳定的滩岸上,宜避开软弱地基、深水地带、古河道、强透水地基。

10.1.3 一个河段的护地堤堤距应大致相等,不宜突然扩大或缩小。护地堤堤距应根据地形、地质条件、水文泥沙特性、不同堤距的技术经济指标,经综合分析确定,并应分析滩区长期的滞洪、淤积作用及生态环境保护等因素,留有余地。

10.1.4 护地堤堤型应根据地质、筑堤材料、水流和风浪特性、施工条件、运用和管理要求、环境景观、工程造价因素,经综合分析确定。

10.2 丁坝、顺坝布置

10.2.1 丁坝、顺坝防护长度应根据水流、风浪特性及堤岸崩塌趋势分析确定。

10.2.2 丁坝、顺坝布置应根据水流、风浪、地质、地形情况、施工条件、运用要求等因素选用合适的型式,应因势利导、符合水流演变规律,并应统筹兼顾上下游、左右岸。

10.2.3 丁坝、顺坝应依堤岸修建。平面布置应根据整治规划、水流流势、堤岸冲刷情况及已建类似工程经验确定。丁坝坝头位置应在治导线上,并宜成组布置,顺坝应沿治导线布置。

10.2.4 丁坝长度应根据堤岸与治导线距离确定,间距可为坝长的1倍~3倍。丁坝按结构材料、坝高及与水流流向关系,可分为透水、不透水、淹没、非淹没、上挑、正挑、下挑等型式。非淹没丁坝宜采用下挑型式布置,坝轴线与水流流向的夹角可采用30°~60°。

10.2.5 顺坝用于束窄河槽、导引水流、调整河岸时,宜布置在过渡段、分汊河段、急弯及凹岸末端、河口及洲尾等水流不顺和水流分散的河段。顺坝与水流方向应接近或略有微小交角,直接布置在整治线上。长度应根据风浪、水流及崩岸趋势等分析确定。

10.3 生态护岸布置

10.3.1 生态护岸应遵循岸坡稳定、行洪安全、材质自然、内外透水及成本经济的原则进行布置,宜与沟道天然形态相协调。

10.3.2 生态护岸布置应依据沟道水流形态、气候条件及滩岸类型,因地制宜采用植物或植物与工程措施相结合的布置方式。

10.3.3 生态护岸的岸线布置可按护地堤、顺坝的有关规定执行。

10.4 护地堤堤身结构型式

10.4.1 护地堤堤身结构应经济实用、就地取材、便于施工、易于维护,宜采用土堤或防洪墙结构。

10.4.2 土堤堤身设计应包括确定堤身断面、堤顶高程、顶宽和边坡、护坡及填筑标准,以及防渗、排水设施。

10.4.3 土堤填筑密度应根据堤身结构、土料特性、自然条件等因素,综合分析确定。黏性土土堤的填筑标准应按压实度确定,其压实度不应小于90%;无黏性土土堤的填筑标准应按相对密度确定,其相对密度不应小于0.60。

10.4.4 堤顶高程应按设计洪水位加堤顶超高确定。堤顶超高不宜小于0.5m。

10.4.5 土堤的堤顶宽度及边坡坡度可类比已建类似工程初选,并应根据稳定计算确定,顶宽不宜小于3m。堤路结合时,堤顶宽度及边坡的确定宜结合道路的要求,并应根据需要设置上堤坡道。上堤坡道的位置、坡度、顶宽、结构等可根据需要确定。临水侧坡道宜顺水流方向布置。稳定计算应符合国家标准《堤防工程设计规范》GB 50286—2013 第 8 章的有关规定。抗滑稳定安全系数不应小于本规范表 5.5.3 规定的数值。

10.4.6 无黏性土防止渗透变形的允许坡降应以土的临界坡降除以安全系数确定,安全系数宜取 1.5～2.0。无试验资料时,无黏性土的允许坡降可按表 10.4.6 选用。表 10.4.6 适用于无黏性土渗流出口无滤层的情况。黏性土的允许坡降应通过试验确定。

表 10.4.6 无黏性土的允许坡降

渗透变形型式	流 土 型			过渡型	管涌型	
	$C_u<3$	$3 \leqslant C_u \leqslant 5$	$C_u>5$		级配连续	级配不连续
允许坡降	0.25～0.35	0.35～0.50	0.50～0.80	0.25～0.40	0.15～0.25	0.10～0.15

10.4.7 土堤应采取护坡措施。护坡的型式应根据风浪大小、近堤流速,结合堤高、堤身与堤基土质等因素确定。土堤宜采用草皮护坡,在近堤流速较大、易造成护地堤冲刷破坏时,可采用砌石、混凝土等型式,并应与护脚工程统筹设计。护坡、护脚工程的结构尺寸可按已建类似工程经验确定,或按国家标准《堤防工程设计规范》GB 50286—2013 第 6 章第 6 节的规定执行。

10.4.8 防洪墙设计应包括确定堤身结构型式、墙顶高程、基础轮廓尺寸以及防渗、排水设施。

10.4.9 防洪墙可采用浆砌石、混凝土或钢筋混凝土结构。其墙顶高程确定方法应与土堤堤顶高程确定方法相同。基础埋置深度应满足抗冲刷和冻结深度要求。

10.4.10 防洪墙应设置变形缝。浆砌石及混凝土墙缝距宜为 10m～15m,钢筋混凝土墙宜为 15m～20m。地基土质、墙高、外部荷载、墙体断面结构变化处应增设变形缝,变形缝应设止水。

10.4.11 防洪墙应进行抗倾、抗滑和地基整体稳定计算。计算方法应按国家标准《堤防工程设计规范》GB 50286—2013 第 8 章的规定执行。其安全系数不应小于本规范表 5.5.4 和表 5.5.5 规定的数值。

10.5 丁坝、顺坝结构型式

10.5.1 丁坝应坚固耐久,抗冲刷、抗磨损性能强,能较好适应河床变形,便于施工、修复、加固,且就地取材、经济合理,宜选用抛石丁坝、土心丁坝、沉排丁坝等结构型式。

10.5.2 丁坝设计应包括确定丁坝长度、坝顶高程、坝顶宽度、坝的上下游坡度等。结构尺寸应根据水流条件、稳定、施工及运用要求分析确定,或根据已建类似工程的经验选定。

10.5.3 丁坝长度应根据滩岸与整治线距离确定。坝顶高程应超过设计洪水位 0.5m 及以上。

10.5.4 抛石丁坝坝顶的宽度宜采用 1m～3m;坝的上下游坡度不宜陡于 1∶1.5,坝头坡度 1∶2.5～1∶3。土心丁坝坝顶的宽度宜采用 5m～10m,坝的上下游护砌坡度宜缓于 1∶1,护砌厚度可采用 0.5m～1.0m;坝头部分采用抛石,上下游坡度不宜陡于 1∶1.5,坝头坡度 1∶2.5～1∶3。沉排叠砌丁坝的顶宽宜采用 2m～4m,坝的上下游坡度宜采用 1∶1～1∶1.5。护底层的沉排铺设范围应保证河床产生最大冲刷深度情况下坝体不受破坏。

10.5.5 土心丁坝在土与护坡之间应设置垫层。根据反滤要求,可采用砂石垫层或土工织物垫层,砂石垫层厚度应大于 0.1m。土工织物垫层的上面宜铺薄层砂卵石保护。

10.5.6 丁坝坝根与护地堤或滩岸衔接处应加强防护。

10.5.7 中细砂组成的河床或水深流急处修建丁坝宜采用沉排护底,坝头部分应加大护底范围,铺设的沉排宽度应保证河床产生最大冲刷深度情况下坝体不受破坏。冲刷深度可根据水深、流速、土质因素,或类似工程经验确定。

10.5.8 淹没式丁坝顶面宜做成坝根斜向河心的纵坡,其坡度可取1%～3%。

10.5.9 顺坝的结构、材料应坚固耐久,抗冲刷、抗磨损性能强,并应能较好适应河床变形。

10.5.10 顺坝设计应包括确定顺坝长度、坝顶高程、坝顶宽度、坝的上下游坡度。结构尺寸应根据水流条件、稳定、施工及运用要求分析确定,或根据已建类似工程的经验选定。

10.5.11 顺坝长度应根据风浪、水流及崩岸趋势等因素确定。坝顶高程应高于河道整治流量相应水位0.5m及以上,也可自坝根至坝头,顺水流方向略有倾斜。

10.5.12 顺坝坝顶宽度应根据坝体结构、施工、抢险要求确定。土质顺坝坝顶宽度可取3m～10m,抛石顺坝坝顶宽度可取2m～5m。

10.5.13 坝外坡坡度应较平顺,边坡可取1:1.5～1:3,并沿边抛石或抛枕加以保护,坝头处边坡应适当放缓,不宜小于1:3;坝内坡边坡可取1:1～1:2。

10.6 生态护岸型式

10.6.1 流量、流速不大和冲刷能力较弱的沟道可采取乔灌草相结合或单一种植植被保护河岸的护岸型式。常水位下的浅水区和水位波动频繁的区域可种植具有喜水特性的植物,滩岸上可撒播草籽或种植乔灌木。

10.6.2 流量、流速较大和冲刷能力较强的沟道可采用石材、木材等天然材料与种植植被相结合的护岸型式。常水位线以下可采用石笼、木桩、干砌块石等防护措施,岸坡种植乔灌草。

10.6.3 大流量和高冲刷能力的沟道可采用土工网垫固土种植、土工格栅固土种植等土工材料复合种植基、网石笼,以及植被型生态混凝土等新型商品化生态护岸构件。

10.6.4 生态护岸设计应依据岸坡形态、水流及土质等情况进行岸坡稳定性分析。

10.6.5 植物种类选择应满足抗冲、喜湿及固土等性能要求,宜优先选择多年生当地树(草)种。土木材料宜优先选用能就地取材的天然石料、木料等。

10.7 施 工 组 织

10.7.1 施工场地布置应根据施工方法、技术供应及施工用水、电、路等条件综合确定。

10.7.2 施工道路布设应优先利用现有道路,需要新建道路时宜利用荒地,不占或少占农田。

10.7.3 施工应安排在非汛期进行。

10.7.4 堤顶应向一侧或两侧倾斜,坡度宜取 2‰～3‰。均质土堤的筑堤土料宜选用亚黏土,土料渗透系数不宜大于 $1×10^{-4}$ cm/s。

10.7.5 浆砌石防洪墙宜采用块石砌筑,有卵石的地区,也可采用卵石砌筑。

10.7.6 生态护岸应选择适宜植物生长的季节施工,并应保证植物生长所需的土层厚度和灌水要求。

11 坡面截排水工程

11.1 一般规定

11.1.1 坡面截排水工程分类应符合下列规定：

1 按所处空间，可分为地面排水工程和地下排水工程。

2 地面排水工程按蓄水排水要求，可分为多蓄少排型、少蓄多排型和全排型。

3 地面排水工程中的截水沟按其功能，可分为蓄水型和排水型。

11.1.2 坡面截排水工程布置应符合下列规定：

1 坡面排水工程可用于流域治理中山坡坡面的保护，也可用于保护梯田。

2 坡面截排水工程中，北方少雨地区，应采用多蓄少排型；南方多雨地区，应采用少蓄多排型；东北黑土区如无蓄水要求，应采用全排型。

3 地下排水工程可用于东北黑土区涝渍灾害、侵蚀沟和坡耕地水土流失治理，南方地区坡耕地实施横向垄作需进行地下排水的，可按东北黑土区执行。

11.1.3 坡面截排水工程设计应遵循下列原则：

1 坡面截排水工程应与梯田、耕作道路、沉沙蓄水工程同时规划，并以沟渠、道路为骨架，合理布设截流沟、排水沟、蓄水沟、沉沙池、蓄水池等设施，形成完整的防御、利用体系。

2 应根据治理区的地形条件，按高水高排、低水低排、就近排泄、自流原则选择线路。

3 梯田排水沟布设应兼顾拦蓄和利用当地雨水的原则。在干旱缺水区的山坡或山洪汇流的槽冲地带，应合理布设蓄水灌溉和排洪防冲工程。

　　4 坡面截排水工程布置应避开滑坡体、危岩等不利地质条件。

11.1.4 设计所需资料应满足下列要求：

　　1 汇水区应采用1∶10000～1∶5000的地形图，并应收集治理区汇水面的下垫面情况。

　　2 宜收集工程附近雨量站或水文站长系列实测资料，当无实测资料时，可用当地水文手册中等值线图推求。

　　3 渠线布置宜采用不小于1∶2000的地形图，工程布置和设计宜采用1∶500～1∶200的地形图。

11.1.5 坡面截排水工程与相关工程在布置上应符合下列规定：

　　1 用于保护梯田时，梯田傍山一侧应布设截水天沟，梯田内部应沿等高线布置横向截水沟，排水沟应垂直于等高线沿纵向布置。

　　2 宜与蓄水工程联合布置：由坡面截排水工程截取地表径流、引入沉沙池，经沉沙后进入蓄水设施，蓄满后多余径流由排水沟排出，并与周边天然沟道顺接。

11.2 工程布置

11.2.1 多蓄少排型坡面截排水工程布置应符合下列规定：

　　1 应采用蓄水型截水沟，并应沿治理坡面等高线或沿梯田傍山一侧边界水平布置。

　　2 当治理区坡面的坡长较长时，应增设多级截水沟，间距应根据其控制面积、坡面产流量、蓄水能力，通过计算结合地形确定。

　　3 蓄水型截水沟的两端应就近接入排水沟或承泄区。

　　4 排水沟与坡面等高线应正交布设，梯田两端的排水沟应大致与梯田两端的道路同向。

　　5 排水沟连接蓄水池或天然排水道，宜布置在低洼地带，并尽量利用天然沟道。

6 排水沟间距应根据排水流量、地形条件等因素综合分析确定。

7 排水沟之间及其与承泄河道之间的交角宜为30°～60°,出口宜采用自排方式。

8 排水承泄区应保证排水系统的出流条件具有稳定的河槽或湖床、安全的堤防和足够的承泄能力,且不产生环境危害。

11.2.2 少蓄多排型坡面截排水工程布置应符合下列规定:

1 应采用排水型截水沟,并应沿治理坡面等高线方向或沿梯田傍山一侧边界布置,其纵向比降宜为1‰～2‰。

2 当治理区坡面的坡长较长时,应增设多级截水沟,间距应根据其控制面积、坡面洪峰流量、排水能力,通过计算结合地形确定。

3 排水型截水沟较低的一端应就近接入排水沟或承泄区。

4 少蓄多排型排水沟布置与多蓄少排型排水沟布置应相似。

11.2.3 全排型坡面截排水工程布置应符合下列规定:

1 截流沟应布设在坡耕地的上方与林地或荒地交接的边界处,或应布设在较长的坡面及坡度变化大的地点。

2 截流沟为排水型,基本上应沿等高线方向布设,纵向比降取1‰～2‰,沟线应顺直。

3 应分级截流泄洪,分割水势、分散排泄。

11.2.4 地下排水工程布置应符合下列规定:

1 地下排水工程应由暗管、鼠洞和排水沟组成。鼠洞应为一级暗排,暗管应为二级暗排。应根据不同的地貌类型,采取不同的组合方式。

2 鼠洞应布设在有一定塑性的黏性土壤中,坡度随地面坡降,鼠洞末端连接固定排水沟道;线型洼地,鼠洞应与布置在洼地中轴线的集水暗管相通,再与周边固定排水沟网或承泄区连接。

3 暗管布局应分为棋盘型、鱼刺型和不规则型等形式。根据地形条件,暗管应布设在线型洼地的中轴线上,坡降应根据地形条件选定。

11.3 截水沟设计

11.3.1 蓄水型截水沟宜水平布设。排水型截水沟高差较大时，应设置急流槽或跌水。

11.3.2 截水沟不水平时，应每隔5m～10m在沟底修筑高0.2m～0.3m的小土挡。

11.3.3 蓄水型截水沟两端应设拦水坎。

11.3.4 截水沟与排水沟的连接处应采取防冲措施。

11.3.5 截水沟宜采用梯形断面，山坡坡度较大时，截水沟宜采用矩形断面。

11.3.6 蓄水型截水沟断面设计应符合下列规定：

    1 蓄水型截水沟容量按下式计算：

$$V = V_w + V_s \quad (11.3.6\text{-}1)$$

式中：V——截水沟容量（m^3）；

    V_w——一次暴雨径流量（m^3）；

    V_s——1a～3a 土壤侵蚀量（m^3）。

    2 V_w 和 V_s 按下列公式计算：

$$V_w = M_w F \quad (11.3.6\text{-}2)$$

$$V_s = (1 \sim 3) M_s F \quad (11.3.6\text{-}3)$$

式中：F——截水沟集水面积（hm^2）；

    M_w——一次暴雨径流模数（m^3/hm^2）；

    M_s——1年的土壤侵蚀模数（m^3/hm^2）。

    3 截水沟断面面积按下式计算：

$$A_1 = V/L \quad (11.3.6\text{-}4)$$

式中：A_1——截水沟断面面积（m^2）；

    L——截水沟长度（m）。

11.3.7 多蓄少排型截水沟宜按蓄水型截水沟进行断面设计，少蓄多排型截水沟宜按排水沟进行断面设计。

11.3.8 截水沟应按本规范第5.6.2条的规定设置安全超高。

11.4 排水沟设计

11.4.1 排水沟宜按明渠流设计。

11.4.2 排水沟进口宜采用喇叭口或八字形导流翼墙,翼墙长度可取设计水深的3倍~4倍。

11.4.3 排水沟断面变化时,应采用渐变段衔接,其长度可取水面宽的5倍~20倍。在弯曲段凹岸应分析水位壅高影响。

11.4.4 排水沟应分段设置跌水。梯田排水沟纵断面可与梯田断面基本一致,以每台田面宽为一水平段,以每台田坎高为一跌水,在跌水处应采取防冲措施。

11.4.5 排水沟末端应设消能设施。当坡度缓、流量小时,可用消力池消能;当坡度陡、流量大时,应采取多级跌水或加糙(坎)消能。

11.4.6 排水沟比降取决于沿线地形和土质条件,设计时宜与沟沿线的地面坡度相近,以减小开挖量。排水沟比降不宜小于0.5%,土质沟渠的最小比降不应小于0.25%,衬砌沟渠最小比降不应小于0.12%。

11.4.7 土质山坡排水沟宜采用梯形或复式断面,石质山坡排水沟可采用矩形断面。陡坡式排水沟宜采用矩形断面,并宜采用浆砌块石或现浇混凝土。

11.4.8 矩形、梯形排水沟断面底宽和深度不宜小于0.40m。梯形土质排水沟,其内坡按土质类别宜采用1:1.0~1:1.5。

11.4.9 临时排水沟宜采用梯形或矩形断面,深度不宜小于0.20m,梯形排水沟底宽不宜小于0.20m,矩形排水沟沟底宽度不宜小于0.30m。

11.4.10 排水沟流速应同时满足不冲不淤的要求。明沟最小允许流速宜为0.4m/s,暗沟最小允许流速宜为0.75m/s。

11.4.11 排水沟应按本规范第5.6.2条的规定设置安全超高。

11.4.12 以排涝为目的排水应按现行国家标准《灌溉与排水工程

设计规范》GB 50288 的有关规定执行。

11.5 截流沟设计

11.5.1 截流沟纵坡宜取 1‰～2‰ 比降。

11.5.2 截流沟宜采用梯形断面。

11.5.3 截流沟长度超过 500m 时,应分段设计。断面变化处应采用渐变段衔接,其长度可取水面宽的 5 倍～20 倍。

11.5.4 最大径流量应按下式计算:

$$Q_\mathrm{m}=\frac{K_{10\%}}{K_{5\%}}C_\mathrm{p}F^{0.67} \qquad(11.5.4)$$

式中:Q_m——沟道最大流量($\mathrm{m^3/s}$);

K——相应频率的模比系数,可通过当地水文手册查找;

F——分段设计时,本段截流沟控制的集水面积($\mathrm{km^2}$);

C_p——最大径流量参数。

11.5.5 截流沟汇流历时应按本规范公式(A.4.2-2)计算。

11.5.6 截流沟断面设计可按排水沟有关规定执行,并应按本规范第 5.6.2 条的规定增加安全超高。

11.6 地下排水工程设计

11.6.1 鼠洞排水布设应满足下列要求:

1 鼠洞深度和间距应根据土壤结构而定,有关经验参数可按表 11.6.1 选取。

表 11.6.1 不同土质的鼠洞深度与间距经验数值表

土壤质地	洞深(m)	洞距(m)	土壤质地	洞深(m)	洞距(m)
黏土	0.35～0.5	1.0～2.0	黏壤土	0.35～0.5	1.0～2.2
	0.5～0.7	1.5～2.8		0.5～0.7	1.5～3.0
	0.7～1.0	2.0～4.0		0.7～1.0	2.0～4.5

2 鼠洞出口高程应高于末级沟道正常设计水位 0.2m～0.3m,洞出口内插满树条或麦秸或草把,下缘采用块石防护。

11.6.2 暗管排水布设应满足下列要求：

1 暗管应布设在局部闭流洼地和低洼水线处，消除坡耕地内涝。

2 暗管间距宜取 50m～100m。在局部闭流洼地和低洼水线处，暗管应适当加密，间距应为 10m～30m，地形平缓时其间距可适当加大。

3 暗管坡降应依地形和选定管径等因素确定，宜取 0.2%～2%。

4 排水暗管设计流量可按下列公式计算：

$$Q = CqA \tag{11.6.2-1}$$

$$q = \frac{\mu\Omega(H_0 - H_t)}{t} \tag{11.6.2-2}$$

式中：Q——排水暗管设计流量（m³/d）；

C——排水流量折减系数，可从表 11.6.2-1 查得；

q——地下水排水强度（m/d）；

A——排水管控制面积（m²）；

μ——地下水面变动范围内的土层平均给水度；

Ω——地下水面形状校正系数，取 0.7～0.9；

H_0——地下水位降落起始时刻，排水地段的作用水头（m）；

H_t——地下水位降落到 t 时刻，排水暗管排水地段的作用水头（m）；

t——设计要求地下水位由 H_0 到 H_t 的历时（d）。

表 11.6.2-1 排水流量折减系数

排水控制面积（hm²）	≤16	16～50	50～100	>100～200
排水流量折减系数	1.00	1.00～0.85	0.85～0.75	0.75～0.65

5 排水暗管管径宜取 60mm～100mm，应满足设计排渍流量要求，且不应形成满管出流。排水管内径计算按下式计算：

$$d = 2(nQ/\alpha\sqrt{i})^{3/8} \tag{11.6.2-3}$$

式中：d——排水管内径（m）；

n——管内壁糙率，可从表 11.6.2-2 查得；

α——与管内水的充盈度 a 有关的系数,可从表11.6.2-3查得;

i——管道水力比降,可采用管线的比降。

排水管道比降应满足管内最小流速不低于0.3m/s的要求。管内径 $d{\leqslant}100$mm 时,i 可取 $1/300{\sim}1/600$;$d{>}100$mm 时,i 可取 $1/1000{\sim}1/1500$。

表11.6.2-2 排水管内壁糙率

排水管类别	陶土管	混凝土管	光壁塑料管	波纹塑料管
内壁糙率	0.014	0.013	0.011	0.016

表11.6.2-3 系数 α 和 β 取值

a	0.60	0.65	0.70	0.75	0.80
α	1.330	1.497	1.657	1.806	1.934
β	0.425	0.436	0.444	0.450	0.452

注:管内水的充盈度 a 为管内水深与管的内径之比值。管道设计时,可根据管的内径 d 值选取充盈度 a 值:当 $d{\leqslant}100$mm 时,a 取0.6;当 d 为100mm~200mm 时,a 取0.65~0.75;当 $d{>}200$mm 时,a 取0.8。

6 排水暗管平均流速按下式计算:

$$V=\frac{\beta}{n}\left(\frac{d}{2}\right)^{2/3}i^{1/2} \qquad (11.6.2-4)$$

式中:V——排水暗管平均流速(m/s);

β——与管内水的充盈度 a 有关的系数,可从表11.6.2-3查得。

7 排水暗管周围应设置外包滤料,并宜就地取材,选用耐酸、耐碱、不易腐烂、对农作物无害、不污染环境、方便施工的透水材料。外包滤料的渗透系数应比周围土壤大10倍以上,其厚度可根据当地实践经验选取。

8 暗管埋深宜取0.7m~0.9m,条捆直径应大于0.2m,并应用砂卵石、麦秸、稻草和芦苇回填0.1m~0.4m,踩实,其上回填壤土0.2m。

9 暗管出口段宜设置长度2m的硬塑料管,伸出长度0.15m~0.2m,出口下缘距固定沟道水面间距不应小于0.3m。暗管排水进入明沟处应采取防冲措施。

12 弃渣场及拦挡工程

12.1 一般规定

12.1.1 弃渣场设计应符合下列要求：

1 弃渣场设计应坚持安全可靠、经济合理的原则。

2 弃渣场堆置应根据渣场地形地质条件、弃渣岩土组成及物理力学参数等确定堆置要素，并应满足渣场整体稳定，且不影响河(沟)道行洪安全的要求。

3 应根据弃渣场位置、类型及堆置情况，进行弃渣拦挡、防洪排洪等设计。

12.1.2 弃渣拦挡工程应符合下列要求：

1 弃渣拦挡工程应包括挡渣墙、拦渣堤、拦渣坝、围渣堰等。

2 应通过现场查勘或勘探，按就地取材、安全可靠、经济合理的原则，选择拦挡工程型式。

3 弃渣拦挡工程设计应综合渣场类型、弃渣堆置方案、渣场地形和工程地质、气象及水文、建筑材料、施工机械类型等因素确定。

12.1.3 弃渣场及拦挡工程设计所需基本资料应包括下列内容：

1 地形测绘资料：渣场区地形、地貌及地类资料，渣场地形图。

2 工程地质资料：渣场区工程地质及地质勘察资料，包括地层岩性、覆盖层组成及厚度、渣场是否涉及泥石流、滑坡等不良地质情况及基础物理力学参数。

3 弃渣基础资料：弃渣的来源、组成、堆渣量以及弃渣的物理力学参数等资料。

4 水文气象资料：与渣场设防标准相应的，涉及河道、沟道的洪水流量及洪水位、流速等资料。

12.2 弃渣场设计

12.2.1 弃渣场按地形条件、与河(沟)相对位置、洪水处理方式等,可分为沟道型、临河型、坡地型、平地型、库区型五种类型,其相应特征及适用条件应符合表12.2.1的规定。

表12.2.1 弃渣场分类

弃渣场类型	特 征	适 用 条 件
沟道型	弃渣堆放在沟道内,堆渣体将沟道全部或部分填埋	适用于沟底平缓、肚大口小的沟谷,其拦渣工程为拦渣坝(堤)或挡渣墙,视情况配套拦洪(坝)及排水(渠、涵、隧洞等)措施
临河型	弃渣堆放在河流或沟道两岸较低台地、阶地和河滩地上,堆渣体临河(沟)侧底部低于河(沟)道设防洪水位,渣脚全部或部分受洪水影响	河(沟)道流量大,河流或沟道两岸有较宽台地、阶地或河滩地,其拦渣工程为拦渣堤
坡地型	弃渣堆放在缓坡地、河流或沟道两侧较高台地上,堆渣体底部高程高于河(沟)中弃渣场设防洪水位	沿山坡堆放,坡度不大于25°且坡面稳定的山坡;其拦渣工程为挡渣墙
平地型	弃渣堆放在宽缓平地、河(沟)道两岸阶(平)地上,堆渣体底部高程低于或高于弃渣场设防洪水位,渣脚全部受洪水影响或不受洪水影响	地形平缓、场地较宽广地区;坡脚受洪水影响时其拦渣工程为围渣堰,不受影响时可设挡渣墙,或不设挡墙,采取斜坡防护措施
库区型	弃渣堆放在主体工程水库库区内河(沟)道两岸台地、阶地和河滩地上,水库建成后堆渣体全部或部分被库水位淹没	对于山区、丘陵区无合适堆场地,同时未建成水库内有适合弃渣的沟道、台地、阶地和滩地上,其拦渣工程主要为拦渣堤、斜坡防护工程或挡渣墙

12.2.2 弃渣场选址应符合下列规定：

1 弃渣场选址应根据弃渣场容量、占地类型与面积、弃渣运距及道路建设、弃渣组成及排放方式、防护整治工程量及弃渣场后期利用等情况，经综合分析后确定。

2 严禁在对重要基础设施、人民群众生命财产安全及行洪安全有重大影响的区域布设弃渣场。

3 弃渣场不应影响河流、沟谷的行洪安全，弃渣不应影响水库大坝、水利工程取用水建筑物、泄水建筑物、灌（排）干渠（沟）功能，不应影响工矿企业、居民区、交通干线或其他重要基础设施的安全。

4 弃渣场应避开滑坡体等不良地质条件地段，不宜在泥石流易发区设置弃渣场；确需设置的，应确保弃渣场稳定安全。

5 弃渣场不宜设置在汇水面积和流量大、沟谷纵坡陡、出口不易拦截的沟道；对弃渣场选址进行论证后，确需在此类沟道弃渣的，应采取安全有效的防护措施。

6 不宜在河道、湖泊管理范围内设置弃渣场，确需设置的，应符合河道管理和防洪行洪的要求，并应采取措施保障行洪安全，减少由此可能产生的不利影响。

7 弃渣场选址应遵循"少占压耕地，少损坏水土保持设施"的原则。山区、丘陵区弃渣场宜选择在工程地质和水文地质条件相对简单，地形相对平缓的沟谷、凹地、坡台地、滩地等；平原区弃渣应优先弃于洼地、取土（采砂）坑，以及裸地、空闲地、平滩地等。

8 风蚀区的弃渣场选址应避开风口区域。

12.2.3 弃渣堆置应符合下列规定：

1 弃渣场宜采取自下而上的方式堆置；堆渣总高度小于10m的，在采取安全挡护措施下可采取自上而下的方式堆置。

2 弃渣场堆置要素应包括：容量、堆渣总高度与台阶高度、平台宽度、综合坡度和占地面积等。

3 堆渣量应以自然方为基础，按弃渣组成折算为松方，并应根据堆渣工艺、沉降因素进行修正。无试验资料的,松散系数可按表12.2.3-1选取。

表12.2.3-1　土(石、渣)松散系数

种类	砂	砂质黏土	黏土	带夹石的黏土	最大边长度小于30cm的岩石	最大边长度大于30cm的岩石
松散系数	1.05～1.15	1.15～1.2	1.15～1.2	1.2～1.3	1.25～1.4	1.35～1.6

4 弃渣场占地面积应综合堆渣量、地形、堆置要素、拦渣及截排水措施等因素确定。

5 弃渣场堆渣高度与台阶高度的确定应符合下列规定:

1) 最大堆渣高度按弃渣初期基底压实到最大承载能力控制,应按下式计算:

$$H = \pi C \cot\varphi \left[\gamma \left(\cot\varphi + \frac{\pi\varphi}{180} - \frac{\pi}{2} \right) \right]^{-1} \quad (12.2.3)$$

式中:H——弃渣场的最大堆渣高度(m);

C——弃渣场基底岩土的粘结力(kPa);

φ——弃渣场基底岩土的内摩擦角(°);

γ——弃渣场弃渣的容重(kN/m³)。

2) 堆渣高度与台阶高度应根据弃渣物理力学性质、施工机械设备类型、地形、工程地质、气象及水文等条件确定。弃渣堆渣高度40m以上时,应分台阶堆置,综合坡度宜取22°～25°,并应经整体稳定性验算最终确定综合坡度。采用多台阶堆渣时,原则上第一台阶高度不应超过15m～20m;当地基为倾斜的砂质土时,第一台阶高度不应大于10m。

3) 4级、5级弃渣场,当缺乏工程地质资料时,堆置台阶高度

可按表12.2.3-2确定。

表 12.2.3-2 弃渣堆置台阶高度(m)

弃渣类别		堆置台阶高度
岩石	硬质岩石	30～40(20～30)
	软质岩石	10～20(8～15)
土石混合	混合土石	20～30(15～20)
土	黏土	10～15(8～12)
	砂土、人工土	5～10

注：1 括号内数值系工程地质不良及气象条件不利时参考值；
    2 弃渣场地基(原地面)坡度平缓，渣为坚硬岩石或利用狭窄山沟、谷地、坑塘堆置的弃渣场，可不受此表限制。

6 弃渣场堆渣坡比应由渣场稳定计算确定。4级、5级弃渣场，当缺乏工程地质资料时，稳定堆渣坡度应小于或等于弃渣自然安息角除以渣体正常工况时的安全系数。弃渣自然安息角根据弃渣岩土组成，可按表12.2.3-3确定。

表 12.2.3-3 弃渣堆置自然安息角

弃渣体类别			自然安息角(°)	堆渣坡比
岩石	硬质岩石	花岗岩	35～40	1:1.85～1:1.60
		玄武岩	35～40	1:1.85～1:1.60
		致密石灰岩	32～36	1:2.10～1:1.85
	软质岩石	页岩(片岩)	29～43	1:2.35～1:1.45
		砂岩(块石、碎石、角砾)	26～40	1:2.70～1:1.60
		砂岩(砾石、碎石)	27～39	1:2.55～1:1.70
土	碎石土	砂质片岩(角砾、碎石)与砂黏土	25～42	1:2.80～1:1.65
		片岩(角砾、碎石)与砂黏土	36～43	1:1.80～1:1.65
		砾石土	27～37	1:2.55～1:2.0

续表12.2.3-3

弃渣体类别			自然安息角(°)	堆渣坡比
土	黏土	松散的、软的黏土及砂质黏土	20～40	1:3.60～1:1.80
		中等紧密的黏土及砂质黏土	25～40	1:2.80～1:1.80
		紧密的黏土及砂质黏土	25～45	1:2.80～1:1.5
		特别紧密的黏土	25～45	1:2.80～1:1.5
		亚黏土	25～50	1:2.80～1:1.30
		肥黏土	15～50	1:4.85～1:1.30
	砂土	细砂加泥	20～40	1:3.60～1:1.80
		松散细砂	22～37	1:3.20～1:2.0
		紧密细砂	25～45	1:2.80～1:1.5
		松散中砂	25～37	1:2.80～1:2.0
		紧密中砂	27～45	1:2.55～1:1.5
	人工土	种植土	25～40	1:2.80～1:1.80
		密实的种植土	30～45	1:2.30～1:1.5

12.2.4 弃渣场与重要基础设施之间的安全防护距离应符合下列规定：

1 弃渣场与重要基础设施之间应留有安全防护距离，安全防护距离应满足相关行业要求。

2 安全防护距离计算，以弃渣场坡脚线为起始界线；涉及铁路、公路等建构筑物的，由其边缘算起；航道由设计水位线岸边算起；工矿企业由其边缘或围墙算起。

3 涉及规模较大、人口0.5万人以上的居住区和建制城镇的，安全防护距离应适当加大。

12.2.5 弃渣场稳定计算应符合下列规定：

1 弃渣场稳定计算包括堆渣体边坡及其地基的抗滑稳定计算。抗滑稳定应根据弃渣场级别、地形、地质条件，并应结合弃渣堆置形式、堆置高度、弃渣组成、弃渣物理力学参数等选择有代表性的断面进行计算。

2 弃渣场抗滑稳定计算应分为正常运用工况和非常运用工况。

　　1）正常运用工况：弃渣场在正常和持久的条件下运用，弃渣场处在最终弃渣状态时，渣体无渗流或稳定渗流。

　　2）非常运用工况：弃渣场在正常工况下遭遇Ⅶ度以上（含Ⅶ度）地震。

3 多雨地区的弃渣场还应核算连续降雨期边坡的抗滑稳定，其安全系数按非常运用工况采用。

4 弃渣场抗滑稳定计算可采用不计条块间作用力的瑞典圆弧滑动法；对均质渣体，宜采用计及条块间作用力的简化毕肖普法；对有软弱夹层的弃渣场，宜采用满足力和力矩平衡的摩根斯顿-普赖斯法进行抗滑稳定计算；对于存在软基的弃渣场，宜采改良圆弧法进行抗滑稳定计算。

5 抗滑稳定计算应符合本规范附录 B 的规定。

6 弃渣用于填平坑、塘时可不进行弃渣场稳定计算。

12.2.6 弃渣场防护措施总体布置应符合下列规定：

1 不同类型弃渣场的工程防护措施体系宜按表 12.2.6 确定。

表 12.2.6 弃渣场主要工程防护措施体系

弃渣场类型	主要工程防护措施体系			备 注
	拦挡工程类型	斜坡防护工程类型	防洪排导工程类型	
沟道型	挡渣墙、拦渣堤、拦渣坝	框格护坡、浆砌石护坡、干砌石护坡等	拦洪坝、排洪渠、泄洪隧（涵）洞、截水沟、排水沟	—
坡地型	挡渣墙	框格护坡、干砌石护坡等	截水沟、排水沟	—

续表 12.2.6

弃渣场类型	主要工程防护措施体系			备 注
	拦挡工程类型	斜坡防护工程类型	防洪排导工程类型	
临河型	拦渣堤	浆砌石护坡、干砌石护坡等	截水沟、排水沟	—
平地型	挡渣墙或围渣堰	植物护坡或综合护坡	排水沟	视弃渣场坡脚受洪水影响情况
库区型	拦渣堤、挡渣墙	干砌石护坡等	截水沟、排水沟	—

2 沟道型弃渣场防护措施总体布置应符合下列规定：
  1) 根据洪水处置方式及堆渣方式，沟道型弃渣场可分为截洪式、滞洪式、填沟式三种型式。
  2) 截洪式弃渣场的上游洪水可通过隧洞排泄到邻近沟道中，或通过埋涵方式排至场地下游。
  3) 滞洪式弃渣场下游应布设拦渣坝，具有一定库容，可调蓄上游来水。拦渣坝应配套溢洪、消能设施等。
  4) 填沟式弃渣场上游无汇水或者汇水量很小，弃渣场下游末端应布置挡渣墙等构筑物。对于降雨量大于 800mm 的地区，应布置截排水沟以排泄周边坡面径流，并应结合地形条件布置消能、沉沙设施；降雨量小于 800mm 的地区可适当布设排水措施。

3 临河型弃渣场防护措施总体布置应符合下列规定：
  1) 宜在迎水侧坡脚布设拦渣堤，或设置浆砌石、干砌石、抛石、柴枕等护脚措施。
  2) 设计洪水位以下的迎水坡面宜采取斜坡防护措施；设计洪水位以上坡面宜优先采取植物措施，坡比大于 1：1.5

的,宜采取综合护坡措施。
　　3)渣顶和坡面宜布设截排水措施。
　　4)渣顶宜采取复耕或植物措施。
　4　坡地型弃渣场防护措施总体布置应符合下列规定:
　　1)堆渣坡脚宜设置挡渣墙或护脚护坡措施。
　　2)渣体周边有汇水的,宜布设截水沟、排水沟。
　　3)弃渣场顶部宜采取复耕或植物措施;坡面应首先采取植物措施,坡比大于1∶1的,宜采取综合护坡措施。
　5　平地型弃渣场防护措施总体布置应符合下列规定:
　　1)堆渣坡脚宜设置围渣堰,坡面宜布设截排水措施;不需设置围渣堰时,可直接采取斜坡防护措施,坡脚宜适当处理。
　　2)弃渣场顶部宜采取复耕或植物措施;坡面应首先采取植物措施,坡比大于1∶1的坡面宜采取综合护坡措施。
　　3)填凹型弃渣应首先填平并复耕;当超出原地面线时,应符合本款前两项的要求。
　6　库区型弃渣场应根据地形地貌、蓄水淹没可能对永久工程建筑物的影响,采取相应工程及临时防护措施;弃渣场可不采取植物恢复措施,有需要的应结合蓄水淹没前时段水土流失影响分析确定。

12.3　拦挡工程设计

12.3.1　拦挡工程布置应符合下列规定:
　1　挡渣墙应布置在原地形斜坡面或坡顶位置弃渣的渣场坡脚,轴线平面走向宜顺直,转折处应采用平滑曲线连接。
　2　拦渣堤应布置在河道或沟道两侧较低台地、阶地、滩地弃渣的渣场坡脚,拦渣堤宜位于相对较高的地面;拦渣堤应顺河道或沟道布置,平面走向应顺直,转折处应采用平滑曲线连接。
　3　拦渣坝应布置在河道或沟道中渣场下游弃渣末端坡脚,拦渣坝轴线应垂直河道或沟道布置,平面走向宜顺直。

4 围渣堰类似于挡渣墙,适于地形平缓的宽阔地带,其布置应减少弃渣占地。

12.3.2 挡渣墙设计应符合下列规定:

1 挡渣墙级别应按本规范第 5.7.2 条的规定确定。

2 挡渣墙型式应根据弃渣堆置型式、地形、地质、降水与汇水条件、建筑材料来源等选择。挡渣墙应分为重力式、半重力式、衡重式、悬臂式、扶臂式。

3 挡渣墙基底埋置深度应符合下列要求:

  1) 应根据地形、地质、结构稳定和地基整体稳定等确定。
  2) 冻结深度不大于 1m 时,基底应位于冻结线以下不小于 0.25m 且不小于 1m;冻结深度大于 1m 时,基底最小埋置深度不小于 1.25m,并应将基底至冻结线以下 0.25m 范围地基土换填为弱冻胀材料。

4 挡渣墙应每隔 10m～15m 设置变形缝。挡渣墙轴线转折处、地形变化大、地质条件、荷载和结构断面变化处,应增设变形缝。

5 作用在挡渣墙上的荷载可分为基本组合和特殊组合两类,可按表 12.3.2 的规定采用。

表 12.3.2 荷载组合表

荷载组合	主要考虑情况	荷载类别									附注
		自重	附加荷载	土压力	水重	静水压力	扬压力	土的冻胀力	冰压力	地震荷载	其他荷载	
基本组合	正常挡渣情况	√	√	√	√	√	√	—	—	—	—	按正常挡渣组合计算水重、静水压力、扬压力、土压力

续表 12.3.2

荷载组合	主要考虑情况	自重	附加荷载	土压力	水重	静水压力	扬压力	土的冻胀力	冰压力	地震荷载	其他荷载	附注
基本组合	冰冻情况	√	√	√	√	√	√	√	√	—	—	按正常挡渣组合计算水重、静水压力、扬压力、土压力及冰压力
特殊组合 Ⅰ	施工情况	√	√	√	—	—	—	—	—	—	√	应考虑施工过程中各个阶段的临时荷载
特殊组合 Ⅰ	长期降雨情况	√	√	√	√	√	√	—	—	—	—	考虑渣体饱和含水
特殊组合 Ⅱ	地震情况	√	—	√	√	√	√	—	—	√	—	按正常挡渣组合计算水重、静水压力、扬压力、土压力

注：1 应根据各种荷载同时作用的实际可能性，选择计算中最不利的荷载组合；
2 分期施工的挡渣墙应按相应的荷载组合分期进行计算。

  1）基本组合：挡渣墙结构及其底板以上填料和永久设备的自重，墙后填土破裂体范围内的车辆、人群等附加荷载，相应于正常挡渣高程的土压力，墙后正常地下水位下的水重、静水压力和扬压力，土的冻胀力，其他出现机会较多的荷载。

  2）特殊组合：多雨期墙后土压力、水重、静水压力和扬压力、地震荷载、其他出现机会很少的荷载。墙前有水位降落时，还应按特殊荷载组合计算此种不利工况。

 6 挡渣墙断面尺寸应通过抗滑稳定、抗倾覆稳定和基底应力计算等确定，并应符合本规范第5.7.5条和第5.7.6条的规定。

12.3.3 拦渣堤设计应符合下列规定：

 1 拦渣堤工程级别和防洪标准应按本规范第5.7.2条和第5.7.3条的规定确定。

 2 拦渣堤基础埋置深度应按本规范第12.3.2条第3款的规定和河流冲刷深度确定。

 3 拦渣堤堤顶高程应满足挡渣和防洪要求，与防洪堤起同等作用的拦渣堤堤顶高程应按设计洪水位（或设计潮水位）加堤顶超高确定。安全超高值应按表12.3.3确定。

表12.3.3 拦渣堤工程的安全超高值（m）

拦渣堤工程的级别		1	2	3	4	5
安全超高值	不允许越浪的拦渣堤工程	1.0	0.8	0.7	0.6	0.5
	允许越浪的拦渣堤工程	0.5	0.4	0.4	0.3	0.3

 4 地基处理可按现行国家标准《堤防工程设计规范》GB 50286的有关规定执行。

 5 拦渣堤稳定安全系数应符合本规范第5.7.5条的规定。

12.3.4 拦渣坝设计应符合下列规定：

1 拦渣坝级别和防洪标准应按本规范第5.7.2条和第5.7.3条的规定确定。

2 拦渣坝坝型应有土石坝、砌石坝等,可一次成坝或多次成坝。

3 应根据地形地质、水文、料源、施工等条件,结合弃渣岩土组成和性质,综合分析确定拦渣坝坝型。

4 滞洪式弃渣场拦渣坝总库容应由拦渣库容、拦泥库容、滞洪库容三部分组成。坝顶高程应按总库容在水位-库容曲线对应高程,加安全超高确定。

5 截洪式弃渣场宜采用首建初级坝、多次成坝方案。初级坝坝高宜取8m～10m,可不进行调洪计算。拦渣坝总体布置、坝型及逐级加坝应符合现行行业标准《火力发电厂水工设计规范》DL/T 5339的有关干式贮灰坝的设计规定。

6 采用放水建筑物、涵洞、溢洪道布置方案的,应根据坝址地形地质条件、设计泄洪流量等因素,确定构筑物型式。溢洪道设计应按本规范第7.4节的规定执行,放水建筑物设计应按本规范第7.5节的规定执行。

7 洪水来量较小,放水建筑物、涵洞满足泄洪要求时,不可布设溢洪道。

8 应根据坝型采用相应稳定分析方法,确定坝体断面。稳定安全系数及基底应力应符合本规范第5.7.4条和第5.7.5条的规定。

12.3.5 围渣堰设计应符合下列规定:

1 围渣堰级别和防洪标准应按本规范第5.7.2条和第5.7.3条的规定确定。

2 围渣堰根据筑堰材料可采用土围堰、砌石围堰等;当围渣堰不受渣体压力时,可采用砖砌墙、钢板围挡等型式。

3 围渣堰临水时应按拦渣堤设计要求执行,不临水时应按挡渣墙设计要求执行。

4 围渣堰断面应根据堆渣高度、堆渣容量、筑堰材料,通过稳定分析确定,稳定安全系数应符合本规范第5.7.4条的规定;堰顶有交通要求时可适当加宽。

12.4 截排洪设计

12.4.1 弃渣场傍山一侧边界根据坡面径流大小可布设截水天沟,截水天沟纵坡比降应根据地形、地质等因素结合设计断面计算确定。

12.4.2 渣场上游洪水集中时,应设置排洪建筑物,多采用排洪沟和涵洞,也可采用暗管、隧洞。

12.4.3 排洪建筑物进出口宜布置八字形导流翼墙,翼墙长度可取设计水深的3倍~4倍。集中排洪流速较大时,排洪建筑物出口应布置消能防冲设施。

12.4.4 排洪建筑物过水断面的主要尺寸和设计水深应根据设计排水流量确定。

12.4.5 排洪建筑物纵断面设计,应将地面线、渠底线、水面线、渠顶线绘制在纵断面设计图中。

12.4.6 排洪沟布置应利用天然沟道,并应力求顺直。

12.4.7 排洪沟设计纵坡应根据走向、地形、地质以及与山洪沟连接条件等因素确定。高差较大时,宜设置急流槽或跌水。

12.4.8 排洪沟应按明渠流设计,宜采用浆砌块石或混凝土砌筑。

12.4.9 排洪暗沟每隔50m~100m应设置检查井,暗沟走向变化处应加设检查井。排洪沟宜按无压流设计,设计水位以上净空面积不应小于过水断面面积的15%。

12.4.10 渣场排洪涵洞宜用无压形式,其设计应符合现行国家标准《灌溉与排水工程设计规范》GB 50288的有关规定。

13 土地整治工程

13.1 引洪漫地

13.1.1 引洪漫地主要适用于干旱、半干旱地区的多沙输沙区，并应根据洪水来源，分坡洪、路洪、沟洪、河洪四类。设计中应根据漫地条件选取相应引洪方式。

13.1.2 引洪渠首工程布置应符合下列规定：

1 应选择布置在河床稳定、河道凹段下游、引水条件好且高于洪漫区的位置。

2 当计划洪漫区的面积较大，一处渠首引洪不能满足漫地要求时，应在沿河增建若干引洪渠首，分区引洪。

3 河岸较高、河洪不能自流进入渠首的，应采取有坝引洪，在河中修建滚水坝，抬高水位，坝的一端或两端设引洪闸，将河洪引入渠中。

4 河岸较低、河洪可自流进入渠首的，应采取无坝引洪，并应在距河岸 3m～5m 处设导洪堤，将部分河洪导入引洪闸。

13.1.3 引洪渠系布置应符合下列规定：

1 渠系由引洪干渠、支渠、斗渠三级组成，应能控制整个洪漫区面积，输水应迅速均匀。

2 干渠走向大致高于洪漫区，长度宜为 1000m 左右。

3 沿干渠每 100m～200m 应设支渠，与干渠正交，或取适当夹角，长 500m～1000m。

4 沿支渠每 50m～100m 应设斗渠，宜与支渠正交，斗渠直接控制一个洪漫小区，向地块进水口输水漫灌。

5 干渠向支渠分水处应设分水闸，支渠向斗渠分水处应设斗门。

13.1.4 洪漫区田间工程布置应符合下列规定：

1 根据洪漫区地形和引洪斗渠与地块间的相对位置，漫灌方式可采取串联式、并联式或混合式。

2 洪漫区地块四周应布置蓄水埂。

3 矩形地块的长边应沿等高线，短边应与等高线正交。

13.1.5 引洪量计算、淤漫时间、淤漫厚度、淤漫定额设计应符合下列规定：

1 引洪量可按下式计算：

$$Q = 2.78 \frac{Fd}{kt} \qquad (13.1.5\text{-}1)$$

式中：Q——引洪量（m^3/s）；

F——洪漫区面积（hm^2）；

d——漫灌深度（m）；

t——漫灌历时（h）；

k——渠系有效利用系数。

2 应根据不同作物生长情况，分别采用相应的淤漫时间和淤漫厚度。

3 淤漫定额可按下式计算：

$$M = \frac{10^7 dy}{c} \qquad (13.1.5\text{-}2)$$

式中：M——淤漫定额（m^3/hm^2）；

d——计划淤漫层厚度（m）；

y——淤漫层干容重（t/m^3），宜取 1.25t/m^3；

c——洪水含沙量（kg/m^3）。

13.1.6 引洪渠首建筑物设计应符合下列规定：

1 渠首建筑物基础应要求河床基岩坚实、淤泥与卵石层较浅，当基础不满足稳定要求时，应采取基础处理措施。

2 拦河滚水坝高宜取4m～5m，坝体应作稳定计算和应力分析。

3 导洪堤可采用浆砌石，也可采用木笼块石、铅丝笼块石、沙袋等建筑材料。导洪堤应与河岸成20°左右夹角,长10m～20m,高1m～2m,顶宽1m～2m,内外坡比宜取1:1。

4 应根据引洪水位、流量和引洪干渠断面确定引洪闸孔口尺寸,闸底应高出河床0.5m以上。

13.1.7 引洪渠系设计应符合下列规定：

1 渠道宜采用梯形断面,可按明渠均匀流计算确定渠道断面。

2 干渠、支渠和斗渠宜采取土渠,其边坡坡比按渠道土质选定。黏土、重壤土和中壤土渠道,边坡宜取1:1.0～1:1.25;土质为轻壤土的,边坡宜取1:1.25～1:1.5;土质为砂壤土的,边坡系数宜取1:1.5～1:2.0。

3 渠道比降应与渠道断面设计配合,满足不冲不淤要求。干渠比降宜取0.2%～0.3%;支渠比降宜取0.3%～0.5%,最大不超过1.0%;斗渠比降宜取0.5%～1.0%。有条件的,可经试验确定渠道比降。

4 为保证行水安全,渠道堤顶应高出渠道设计水位0.3m～0.4m。

13.1.8 田间工程设计应符合下列规定：

1 洪漫缓坡农田,应按缓坡区梯田要求进行平整,比降宜取0.5%～1.0%。

2 荒滩淤漫造田,应结合地面平整,去除地中杂草和大块石砾。

3 田边蓄水埝埝高应能满足一次漫灌的最大水深,超高宜取0.3m,蓄水埝顶宽应取0.3m,内外坡比应各约1:1.0,分层夯实,干容重应取$1.3t/m^3$～$1.4t/m^3$。

4 当进水口或出水口高差大于0.2m时,应利用块石、卵石等设置简易消能设施。

13.2 引水拉沙造地

13.2.1 引水拉沙造地应符合下列要求：

1 适用于有水源条件且地面沙土覆盖层较厚的风沙地区，或河流滩地的整沙造地工程。

2 引水拉沙造地工程主要建筑物应包括引水渠、防洪堤、蓄水池、冲沙壕、围埂、排水口等。

3 工程设计所需基本资料应包括：工程所在流域及规划区域地形图、土地利用现状图、工程区水文气象资料、水土流失状况及水土保持现状、工程所在流域社会经济资料等。

13.2.2 工程布局应遵循下列原则：

1 风沙区引水拉沙造地宜选择流动或半固定的沙地进行；固定沙地开展引水拉沙造地应经充分论证，严防工程区之外的固定沙地受到破坏。

2 河流滩地引水拉沙造地应符合河流防洪规划，不得布设在规划的重要蓄滞洪区内。

3 应符合当地水土流失综合治理、国土资源整治、农业发展、水资源利用等规划。

4 引水拉沙造地的田块应规划于地形开阔之处。田块应按高程由下至上依次布设，保持长边与等高线平行，长度宜小于200m，宽度宜小于100m。

13.2.3 工程类型选择和设施配置应按符合下列要求：

1 引水拉沙造地宜采用自流形式，工程设施主要包括引水渠、蓄水池、冲沙壕、围埂、排水口等。采用抽水拉沙造地时，宜直接用管道输水至规划的拉沙区域。当抽水流量较小或工程进度要求较快时，可围筑蓄水池。

2 河流滩地引水拉沙造地应在田块临河侧修筑防护堤。

3 工程布置应根据水源高程、沙丘分布、工程区地形确定。

13.2.4 引水渠设计应符合下列规定：

1 水源充分的地方,应根据拉沙规模和工程进度安排计算确定引水流量。水源不足的地方,以可能最大引水量作为引水流量。以工程规模确定引水量时,可按定额法计算,拉平 1m³ 沙子需水定额宜取 2m³～2.5m³。

2 引水流量确定后,应按本规范第 13.1.7 条引洪渠系设计的规定确定渠道断面和比降。

13.2.5 防洪堤宜采用梯形断面设计,内、外坡宜采用 1:1,防洪堤高度和堤间距等应按本规范护地堤的有关规定执行。

13.2.6 蓄水池设计应符合下列规定:

1 在引水量不足时,应建设蓄水池进行长蓄短放来保证冲沙水量。蓄水池高程应高于引水拉沙的沙丘高程,应根据地形条件挖筑,形状不限,池壁应充分压实。

2 蓄水池应设置冲沙放水口,放水口采用木板、铁皮等临时材料砌护和控制放水量。

3 蓄水池容量应保证在设计的最小施工时段连续放水冲沙,并应按下式计算:

$$V = 3600t(Q_{放} - Q_{引}) \quad (13.2.6)$$

式中:V——蓄水池容积(m³);

t——设计最小施工时段(h),宜取 1h～2h;

$Q_{放}$——拉沙放水流量(m³/s),根据工程进度安排确定;

$Q_{引}$——引水流量(m³/s)。

13.2.7 冲沙壕设计应符合下列规定:

1 比降应在 1% 以上。

2 根据蓄水池高程,馒头状小型沙丘可采用顶部开壕、腰部开壕和下部开壕三种形式。

3 形状复杂或体积特大的沙丘和沙地,可采用左右开壕、四面开壕和迂回开壕等形式。

13.2.8 围埂设计应符合下列规定:

1 围埂平面布置应为规整的矩形或正方形。

2 初修时埝高应取 0.5m～0.8m,随地面淤沙升高而加高。

3 围埝采用梯形断面,顶宽应取 0.3m～0.5m,内外坡比宜采用 1∶1。

13.2.9 排水口设计应符合下列规定:

1 排水口高程与位置应随着围埝内地面的升高而变动,保持排水口略高于淤泥面而低于围埝。

2 应用柴草或砖石做临时性砌护,并应安排好排水的去处,防止冲刷。

13.2.10 引水拉沙造地应配套林网、道路、灌渠、排洪渠及周边防沙设施。

13.3 生产建设项目土地整治

13.3.1 生产建设项目土地整治应符合下列规定:

1 范围应为工程征占地范围内需要复耕或恢复植被的扰动及裸露土地。土地恢复利用方向应根据原土地类型、占地性质、立地条件及土地利用规划等综合确定。

2 应根据工程扰动占压的具体情况以及土地恢复利用方向等选择确定土地整治内容,主要包括表土剥离及堆存、土地平整及翻松、表土回覆、田面平整和犁耕、土地改良,以及水利配套设施恢复。

3 应根据土源、恢复地自然条件、利用方向等因素分析确定覆土的必要性及覆土厚度。覆土来源应优先选择表土厚度大于 0.30m、工程永久占用或淹没耕地的表层熟化土。

4 工程建设中剥离的表层熟化土应作为覆土土源集中存放,并应采取临时水土流失防治措施。

13.3.2 表土剥离应符合下列规定:

1 应根据表土厚度及分布均匀程度、土壤肥力、施工条件等因素,确定表土剥离的厚度和施工方式,厚度可取 0.20m～0.80m。

2 黄土覆盖地区可不剥离表土。

3 高寒草原草甸地区,应对表层草甸土进行剥离、养护、回覆利用。

13.3.3 扰动占压土地的平整及翻松应符合下列规定:

1 扰动后凹凸不平的地面应削凸填凹,进行粗平整。

2 扰动后地面相对平整或粗平整后的土地,压实度较高的应予以翻松。

13.3.4 覆土厚度应根据土地利用方向确定,并应按表13.3.4取值。

表13.3.4 分区覆土厚度

分 区	覆土厚度(m)		
	耕地	林地	草地(不含草坪)
西北黄土高原区的土石山区	0.60~1.00	≥0.60	≥0.30
东北黑土区	0.50~0.80	≥0.50	≥0.30
北方土石山区	0.30~0.50	≥0.40	≥0.30
南方红壤区	0.30~0.50	≥0.40	≥0.30
西南土石山区	0.20~0.50	0.20~0.40	≥0.10

注:1 黄土覆盖地区不需覆土;

2 采用客土造林、栽植带土球乔灌木、营造灌木林可视情况降低覆土厚度或不覆土;

3 铺覆草坪时覆土厚度不小于0.10m。

13.3.5 田面平整和犁耕应符合下列规定:

1 恢复林草的,可采取机械或人工辅助机械对田面进行细平整,并可视林草种采取犁耕。

2 恢复为耕地的,应采取机械或人工辅助机械对田面进行细平整、犁耕,并应符合土地复垦有关标准的规定。

13.3.6 土地改良应符合下列规定:

1 恢复为耕地的,应增施有机肥、复合肥或其他肥料。

2 恢复林草地的,应优先选择具有根瘤菌或其他固氮菌的绿肥植物。工程管理范围的绿化区可在田面细平整后增施有机肥、复合肥或其他肥料。

3 地表为风沙土、风化砂岩时,可添加污泥、河泥、湖泥、木屑等进行改良。

4 pH值超标土地,可施加黑矾、石膏、石灰等改良土壤。

5 盐渍化土地,可采取灌水洗盐、排水压盐、客土等方式改良土壤。

13.3.7 恢复为水田和水浇地的,应恢复灌溉及配套水利设施。

13.3.8 工程永久征地范围的土地整治设计应与植被恢复和建设工程设计标准相协调。工程建设未扰动的区域应根据水土流失防治和林草种植需求采取土地整治措施。

13.3.9 临时用地的土地整治应满足下列要求:

1 施工道路和施工生产生活区施工结束后,应在清除地表临时建筑、建筑垃圾的基础上进行土地整治。

2 石料场开采边坡,在采取削坡开级等措施保证边坡稳定的前提下,对边坡和平台进行整治。取料凹坑,宜采用废弃土石回填后进行土地整治;也可根据水源和生产需求,改造为鱼塘或水景观利用。

3 弃渣场的土地整治设计应视林草植被恢复或复耕的要求执行本规范第13.3.3条~第13.3.7条的有关规定。弃渣场表面为大粒径渣石并需恢复为耕地的,表面平整后应铺设黏土防渗层,碾压密实后厚度不应小于0.30m,再覆表土。

13.3.10 坑凹回填治理应满足下列要求:

1 坑凹地应根据条件回填并恢复原有土地利用类型,或将其改建为蓄水池或养殖水塘。

2 坑凹回填应充分利用废弃土、石料或矿渣。

3 回填后应平整地面,表层覆土,并应修建四周的防洪排水设施。

4 矿坑地应采取回填、整平、覆土措施,复垦成为农林草用地。

　　5 对凹形取土场整治,可视地形地貌、地质条件、周边地表径流量大小情况,采取边坡防护工程、截排水工程、坡面水系工程。

13.3.11 塌陷凹地治理应满足下列要求:

　　1 已形成的塌陷凹地,根据其塌陷深度采取相应整治措施。塌陷深度小于1m的,可推土回填平整恢复为农业用地;深度为1m～3m的,可采取挖深垫高措施,挖深区可蓄水养鱼、种藕或进行其他利用,垫高区进行农业开发利用。

　　2 采空塌陷区裂缝(漏斗)治理宜采取填充措施,填平后恢复植被或种植农作物。

　　3 积水塌陷盆地可有计划地改造为水域,供养殖或其他用途。漏水盆地应因地制宜进行整治,恢复为林地、草地和梯田等。

13.3.12 尾矿(砂)、粉煤灰、赤泥等场地整治应满足下列要求:

　　1 尾矿(砂)库中有毒有害物质应采取净化处理措施。

　　2 尾矿(砂)库、粉煤灰场、赤泥库排废期满后,先铺设黏土或采取其他防渗措施,然后铺熟化土,改造为农林草用地或其他用地。

　　3 黏土防渗层厚度不应小于0.30m。

　　4 沟道洪水处理应符合有关防洪标准的规定。

14 支毛沟治理工程

14.1 一般规定

14.1.1 支毛沟治理工程主要适用于我国北方山地区、丘陵区、高塬区和漫川漫岗区以及南方部分沟蚀严重地区。

14.1.2 支毛沟治理工程应包括沟头防护、谷坊、埂带、削坡、秸秆填沟和暗管排水等。

14.1.3 沟头防护工程宜与谷坊、淤地坝等沟壑治理措施互相配合,应包括蓄水型和排水型两大类型。蓄水型沟头防护应包括围埂式和围埂蓄水式,排水型沟头防护应包括跌水式和悬臂式。

14.1.4 谷坊按建筑材料不同,可分为浆砌石谷坊、干砌石谷坊、土谷坊、混凝土预制块谷坊、柳桩编篱谷坊、多排密植谷坊、编织袋谷坊和石笼谷坊等型式。

14.1.5 除柳桩编篱谷坊、多排密植谷坊等植物谷坊外,谷坊出口处应配套护坡、护底等防护措施。末级谷坊出口处应布设消力池、海漫等消能防冲设施。

14.2 工程布置

14.2.1 沟头防护应布设在上方有坡面天然集流槽,且暴雨产生的径流由集流槽泄入沟头,引起沟头前进的区域。

14.2.2 谷坊、埂带、削坡、秸秆填沟和暗管排水等措施应布设在沟壑侵蚀发育的沟段。

14.2.3 谷坊布置应符合下列规定:

  1 应修建在沟底比降 5%～15%、沟底下切剧烈发展的沟段。

2 应按"顶底相照"的原则,从下而上布设谷坊。

3 谷坊选址应符合下列要求:"口小肚大",工程量小,库容大;沟底与岸坡地形、地质条件较好,无孔洞或破碎地层,以及不易清除的乱石、杂物;取用建筑材料比较方便。

14.3 沟头防护设计

14.3.1 蓄水型沟头防护设计应符合下列要求:

1 沟埂(图 14.3.1-1)位置应根据沟头深度确定,沟头深不宜大于 10m,沟埂位置宜距沟头 3m~5m。沟坡较陡时,应注意避开存在陷穴或垂直裂缝的沟坡。

2 沟埂应采取土质梯形断面(图 14.3.1-2),顶宽应取 0.4m~0.5m,埂高应取 0.8m~1.0m,内外坡比均应为 1∶1,围埂高度应取决于集水区来水量。

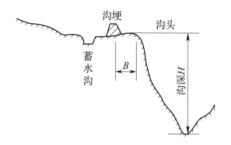

图 14.3.1-1 沟埂位置示意图

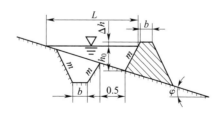

图 14.3.1-2 沟埂断面示意图

3 围埂蓄水量应按下式计算：

$$V = L\left(\frac{HB}{2}\right) = L\frac{H^2}{2i} \quad (14.3.1)$$

式中：V——围埂蓄水量（m^3/s）；

L——围埂长度（m）；

B——回水长度（m）；

H——埂内蓄水深（m）；

i——地面比降（%）。

4 围埂内水深应根据单位围埂长来水量与每延米围埂长蓄水容积比值合理确定，围埂高度偏大时应修正，围埂高度偏小时应加大围埂高度或增设第二道围埂。围埂安全超高可取 0.3m～0.5m。

5 当来水量大于蓄水量时，应在围埂上游附近设置蓄水池，蓄水池位置应距沟头 10m 以上。

6 围埂顶部、边坡宜种植保土性能强的灌木或草。

14.3.2 排水型沟头防护设计应符合下列要求：

1 设计流量应按本规范附录 A 计算。

2 跌水式沟头防护建筑物应由进水口（宽顶堰）、陡坡（或多级跌水）消力池、出口海漫等组成，设计宜按渠道跌水有关规定执行。

3 悬臂式沟头防护建筑物主要用于沟头为垂直陡壁、高 3m～5m 的情况，应由引水渠、挑流槽、支架及消能设施组成。排水管（槽）断面尺寸可按下式计算确定：

$$Q_m = AK_0\sqrt{i} \quad (14.3.2)$$

式中：A——系数，取决于管内充水程度，管内水深宜取 0.75d，此时 $A=0.91$；

K_0——管内完全充水时的特性流量（m/s）；

i——排水管（槽）坡降，可取 1/50～1/100。

14.4 谷坊设计

14.4.1 谷坊间距应按下式计算:

$$L = H/(i - i') \quad (14.4.1)$$

式中:L——谷坊间距(m);

H——谷坊底到溢水口底高度(m);

i——原沟床比降(%);

i'——谷坊淤满后不冲比降(%)。

不同淤积物质淤满后形成的不冲比降应符合表 14.4.1 的规定。

表 14.4.1 淤积物淤满后不冲比降

淤积物	粗沙(夹砾石)	黏土	黏壤土	沙土
比降(%)	2.0	1.0	0.8	0.5

14.4.2 溢洪口矩形宽顶堰应按下式计算,梯形断面应经试算确定:

$$Q = Mbh^{3/2} \quad (14.4.2)$$

式中:Q——设计流量(m³/s);

b——溢洪口底宽(m);

h——溢洪口水深(m);

M——流量系数,宜采用 1.55。

14.4.3 干砌石谷坊高度不宜大于 3m,顶宽宜取 0.8m~1.5m,上游边坡宜取 1:1.25~1:1.75,下游边坡宜取 1:1.0~1:1.5。

14.4.4 浆砌石、混凝土预制块谷坊高度不宜大于 5m,顶宽宜取 0.6m~1.0m,上游边坡宜取 1:0.1,下游边坡宜取 1:0.2~1:0.5。谷坊墙体应设置排水孔,孔径宜取 0.05m~0.20m,孔距宜取 0.5m~1.0m。

14.4.5 石笼谷坊高度不宜大于 3m,顶宽宜取 1.0m~1.5m,上游边坡宜取 1:0.8~1:1.0,下游边坡宜取 1:1.0~1:1.2。

14.4.6 土谷坊设计应符合下列条件:

　　1 谷坊高宜取 2m～5m,顶宽宜取 1.5m～4.5m,上游边坡宜取 1∶1.5～1∶2,下游边坡宜取 1∶1.25～1∶1.75。

　　2 坝顶作为交通道路时,应按交通要求确定坝顶宽度。在谷坊能迅速淤满的地方,迎水坡比可与背水坡比一致。

14.4.7 编织袋谷坊高不宜大于 3m,顶宽宜取 1.5m～2.0m,上游边坡宜取 1∶1.1～1∶1.2,下游边坡宜取 1∶3。

14.4.8 多排密植型植物谷坊设计应符合下列条件:

　　1 柳(或杨)杆长宜取 1.5m～2.0m,埋深宜取 0.5m～1.0m,露出地面高度宜取 1.0m～1.5m。

　　2 每处谷坊柳(或杨)杆应大于 5 排,行距宜取 1.0m,株距宜取 0.3m～0.5m,埋杆直径宜取 50mm～70mm。

14.4.9 柳桩编篱型植物谷坊设计应符合下列条件:

　　1 柳桩布应设 4 排～5 排,排距宜取 1.0m,桩距宜取 0.3m,相邻两排柳桩呈"品"字形布置,桩长宜取 1.5m～2.0m,埋深宜取 0.5m～1.0m。

　　2 排篱间应填入卵(块)石,并应用捆扎柳梢盖顶,相邻排树桩宜用铁丝固定绑牢。

14.5 埝 带 设 计

14.5.1 埝块在沟槽内应错缝摆放,埝带两端、沟沿或埝带间隔的空地应栽植柳条,形成林草泄洪带。

14.5.2 砌埝沟槽宽度宜取 2.4m,深度宜取 0.35m,长度同沟道宽度。

14.6 削 坡 设 计

14.6.1 削坡断面面积可按下式计算:

$$A = S_1 - S_2 \tag{14.6.1}$$

式中:A——削坡断面面积(m^2);

S_1——削坡后梯形或近似梯形面积(m^2);
S_2——削坡前沟道三角形或近似三角形面积(m^2)。

14.6.2 削坡宽度可按下式计算:
$$d = H(\cot\beta - \cot\alpha) \quad (14.6.2)$$
式中:H——原沟深(m);
α——原坡角(°);
β——削坡后坡角(°)。

14.7 秸秆填沟设计

14.7.1 侵蚀沟削坡接近直角时,应在沟底设置木桩,间距宜为3m,相邻两排木桩应呈"品"字形布置,木桩长宜取1.0m~1.5m,直径宜取50mm~70mm,埋深宜取0.50m,行距宜取0.5m。

14.7.2 秸秆应沿沟底铺设,其上覆土宜取0.4m~0.5m。

14.8 暗管排水设计

14.8.1 洪峰流量应按本规范附录A计算。

14.8.2 地下径流应按下式计算:
$$Q = kIBM \quad (14.8.2)$$
式中:Q——地下径流量(m^3/d);
k——渗透系数(m/d);
I——地下水水力坡度,无量纲;
B——计算断面宽度(m);
M——含水层厚度(m)。

14.8.3 排水管径应符合设计排渍流量要求,且不应形成满管出流。暗管设计流量应按满管时理论排水流量的90%设计。

15 小型蓄水工程

15.1 一般规定

15.1.1 小型蓄水工程应包括水窖、蓄水池、沉沙池、涝池和雨水集蓄利用工程等类型。

15.1.2 小型蓄水工程主要适用于山区、丘陵区坡面径流利用，应与截排水工程配套使用。南方地区应以排为主，排蓄结合；半干旱地区、岩溶石漠化地区应以蓄为主，蓄排结合。

15.1.3 小型蓄水工程设计应遵循下列原则：

1 应结合坡耕地改造、沟壑治理、农业耕作和造林种草措施统筹设计，配套实施。

2 工程规模、分布数量及类型应综合分析水土流失治理和需水要求确定。

15.1.4 小型蓄水工程设计应包括下列所需基本资料：

1 1：1000～1：500 地形图。

2 水文气象资料，包括降水、暴雨、气温等，雨水入渗工程应有相关区域滞水层及地下水分布、土壤类型及渗透系数等方面的资料。

3 社会经济情况，包括灌溉面积（需水）分布情况和人畜饮用水需求情况。

4 其他资料，包括项目区周边已建或主体工程设计的各类雨水集流面性质、面积，蓄水设施的种类、数量及容积，需灌溉养护植被类型、面积，以及相应需水定额。

15.1.5 必要时蓄水工程应设置安全警示标志，以确保人畜安全。

15.1.6 雨水集蓄利用工程设计应符合现行国家标准《雨水集蓄利用工程技术规范》GB/T 50596 的有关规定。

15.2 工程布置

15.2.1 水窖的规划布置应符合下列规定：

1 水窖宜布设在村庄道路路旁边、有足够的表径流汇流的区域。窖址应具有深厚坚实的土层，距沟头、沟边 20m 以上，距大树根 10m 以上。石质山区水窖应布设在不透水基岩上。

2 井式水窖单窖容量宜取 $30m^3 \sim 50m^3$；道路旁边有土质坚实崖坎且要求蓄水量较大的地方，可布设窑式水窖，单窖容量可大于 $100m^3$。

3 水窖总容量应根据规划区人口数量、年人均需水量、总需水量，扣除其他水源可供水量等计算确定。

15.2.2 蓄水池与沉沙池规划布置应符合下列规定：

1 蓄水池宜布设在坡脚或坡面局部低洼处，与排水沟相连，容蓄坡面排水。

2 蓄水池的分布与容量应根据坡面径流总量、蓄排关系，按经济合理、便于使用的原则确定。一个坡面可集中布设一个蓄水池，也可分散布设若干蓄水池。单池容量宜为 $10m^3 \sim 500m^3$。

3 蓄水池应根据地形有利、便于利用、地质条件良好、蓄水容量大、工程量小、施工方便等条件确定其选址。

4 蓄水池进水口的上游附近宜布设沉沙池，保证清水入池。

5 沉沙池的具体位置应根据当地地形和工程条件确定。

15.2.3 涝池的规划布置应符合下列规定：

1 涝池蓄水总量应根据来水量与需水量进行水量供需平衡分析确定。

2 涝池宜沿道路分散布设，一般涝池单池容量宜取 $100m^3 \sim 500m^3$。大型涝池单池容量应超过 $500m^3$。

3 涝池选址应符合地势低洼、土质抗蚀性能较好、有足够的表径流流入的要求，距沟头、沟边不应小于 10m。

15.3 水窖设计

15.3.1 井式水窖(图15.3.1)设计应符合下列规定：

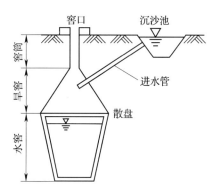

图15.3.1 井式水窖断面示意图

1 窖体由窖筒、旱窖、水窖三部分组成，各部分尺寸应符合下列规定：

1) 窖筒：直径0.6m～0.7m，深1.5m～2m；
2) 旱窖：上部与窖筒相连，深2m～3m。直径向下逐步放大，到散盘处直径3m～4m；
3) 水窖：深3m～5m，从散盘处向下，直径逐步缩小，底部直径2m～3m。

2 地面建筑物由窖口、沉沙池和进水管三部分组成，各部分尺寸应符合下列规定：

1) 窖口：直径0.6m～0.7m，用砖或石砌成，高出地面0.3m～0.5m。
2) 沉沙池：位于来水方向路旁，距窖口4m～6m。池体呈矩形，长2m～3m，宽1m～2m，深1.0m～1.5m，四周坡比1:1。
3) 进水管：圆形，直径0.2m～0.3m，在沉沙池从地表向下深约2/3处，以1:1坡度向下与旱窖相连。

3 井式水窖结构形式根据当地使用情况可采用直立式简易结构。

15.3.2 窑式水窖(图 15.3.2)设计应符合下列规定：

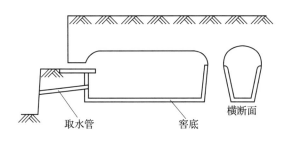

图 15.3.2 窑式水窖断面示意图

1 窖体由水窖、窖顶、窖门三部分组成，各部分尺寸应符合下列规定：

1) 水窖：深 3m～4m，长 8m～10m，断面为上宽下窄的梯形，上部宽 3m～4m，两侧坡比 1∶0.12 左右。
2) 窖顶：长度与水窖一致，半圆拱形断面，直径 3m～4m，与水窖上部宽度一致。
3) 窖门：下部梯形断面，尺寸与水窖部分一致，由浆砌料石制成，厚 0.6m～0.8m，密封不漏水。在离地面约 0.5m 处埋一水管，外装龙头，可自由放水。上部半圆形断面，尺寸与窖顶部分一致，由木板或其他材料制成。木板中部设 1.0m×1.5m 的小门。

2 地面部分由取水口、沉沙池、进水管三部组成，可按本规范第 15.3.1 条第 2 款设计，沉沙池的尺寸应根据来水量适当放大。

15.4 蓄水池设计

15.4.1 蓄水池总容量可按下式计算：

$$V=K(V_w+V_s) \tag{15.4.1}$$

式中：V——蓄水池容量(m^3)；

V_w——设计频率暴雨径流量(m^3);

V_s——设计清淤年累计泥沙淤积量(m^3);

K——安全系数,可取 1.2~1.3。

15.4.2 蓄水池设计应符合下列规定:

1 池体设计应根据当地地形和总容量,因地制宜地分别确定池的形状、面积、深度和周边角度。

2 蓄水池应专设进水口与溢洪口;土质蓄水池的进水口和溢洪口应设衬砌。口宽宜取 0.4m~0.6m,深宜取 0.3m~0.4m,并应按下式校核过水断面:

$$Q = M\sqrt{2g}bh^{3/2} \qquad (15.4.2)$$

式中:Q——进水(或溢洪)最大流量(m^3/s);

M——流量系数,取 0.35;

g——重力加速度,取 9.81m/s^2;

b——堰顶宽(口宽)(m);

h——堰顶水深(m)。

3 当蓄水池进口不能直接与坡面排水渠相连时,应设引水渠;引水渠其断面和比降设计可按坡面排水沟要求执行。

4 蓄水池安全超高宜取 0.2m。

15.5 沉沙池设计

15.5.1 沉沙池宽宜取 1m~2m,长宜取 2m~4m,深宜取 1.5m~2.0m。其宽度宜为相连排水沟宽度的 2 倍,长度宜为池体宽度的 2 倍。

15.5.2 沉沙池的进水口和出水口设计可按本规范第 15.4.2 条设计。

15.6 涝池设计

15.6.1 一般涝池深宜取 1.0m~1.5m,形状依地形而异,圆形直径宜取 10m~15m,矩形边长宜取 10m~30m,涝池边坡宜取1:1。

15.6.2 大型涝池深宜取2m～3m,圆形直径宜取20m～30m,矩形边长宜取30m～100m。土质边坡坡比宜取1:1,料石(或砖、混凝土板)衬砌边坡坡比宜取1:0.3。涝池位置不在路旁的应布设引水渠,涝池进水口前应布设退水设施。

15.6.3 路壕蓄水堰,堰高宜取1m～5m,顶宽宜取1.5m～2.0m,上游坡宜取1:1.5,下游坡宜取1:1。

16 农业耕作措施

16.1 一般规定

16.1.1 农业耕作措施应包括改变微地形、覆盖和改良土壤三类措施。

16.1.2 改变微地形措施应包括等高耕作、地埂植物带、等高植物篱、沟垄种植、坑田(掏钵)种植等。沟垄种植又应包括水平沟、垄作区田、格网式垄作、蓄水聚肥改土耕作等。

16.1.3 覆盖措施应包括草田轮作、间作、套种、带状间作、合理密植、休闲地种绿肥、覆盖种植、少耕免耕等。

16.1.4 改良土壤措施应包括深耕深松、增施有机肥、种植绿肥、留茬播种、少耕免耕等。

16.2 改变微地形措施

16.2.1 等高耕作设计应符合下列规定：

  1 等高耕作可适用于坡度25°以下坡地，最适宜于坡度不大于10°的缓坡地。

  2 应沿等高线起垄，并根据地形、坡度、土质等条件适当调整垄向。淮河以南地区，耕作方向宜与等高线呈1‰～2‰的比降。风蚀缓坡地区，耕作方向宜与主风向垂直，斜交时与主风方向夹角宜小于45°。

  3 坡地等高耕作应由下至上进行翻耕，垄高和垄间宽度视耕作机具和坡度确定。

16.2.2 地埂植物带设计应符合下列规定：

  1 地埂植物带可应用于东北黑土区坡度3°～5°的坡耕地，常与垄作区田配合使用，地埂分为单埂、双埂两种形式。

2 单埂可适用于平均坡度 3°的坡耕地,埂间距可按表 16.2.2 确定并根据机耕播幅倍数及当地经验适当调整。单埂布置时埂顶宽宜取 0.3m～0.5m,埂高宜取 0.5m～0.6m,内外边坡比宜取 1:0.5～1:1。当遇水线洼兜时,地埂应适当加高、夯实。

表 16.2.2 单埂间距参考数值表

降水量(mm)	<300	300～500	>500
埂间距(m)	60	50	40

3 双埂可适用于坡度大于 5°的坡耕地(图 16.2.2),双埂埂高、间距、埂顶宽应根据拦洪量和来洪量计算确定,设计洪水标准按 10 年一遇 24h 最大降水强度计算。

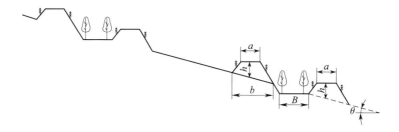

图 16.2.2 双埂断面示意图

1)每延米双埂拦洪量按下式计算:

$$Q_1 = (h^2/\sin\theta - A)/2 + (h+B)h \quad (16.2.2\text{-}1)$$

式中:Q_1——每延长米双埂拦洪量(m^3);

A——单埂断面面积(m^2);

θ——原地面坡度(°);

h——埂高(m);

B——埂间距(m)。

2)设计洪水总量按下式计算:

$$W = 1.16 \times 0.1(K_{10\%}/K_{5\%}) \times B_1 \times 20^{0.83} \times F/20$$

$$(16.2.2\text{-}2)$$

式中:W——10 年一遇 24h 最大暴雨条件下洪水总量(m^3);

$K_{10\%}$——10年一遇模比系数（查水文图集）；

$K_{5\%}$——20年一遇模比系数（查水文图集）；

B_1——最大24h洪量参数；

F——集水面积（km^2）。

4 地埂植物带宜采用多植物种混交，宽度小于30cm的埂坎宜选择草种植物。

16.2.3 等高植物篱设计应符合下列要求：

1 等高植物篱可应用于西南紫色区坡度小于25°的坡耕地。

2 根据坡度，植物篱间距可按表16.2.3执行。

表 16.2.3 不同坡度植物篱间距

坡度（°）	临界坡长（m）	植物带带间距（m）
5	8～9	9.5
10	6～6.5	7～7.5
15	4～4.5	5～5.5
20	2.5～3	3.5～4
25	1.5～2	2.5～3

3 乔木宜栽植一行，株距宜为1.5m；灌木行距宜为0.4m，株距宜为0.2m～0.6m；草本选用撒播或植苗方式，带宽宜为0.6m。在土坎和地埂上撒播草籽，带间距依地面坡度而定。

4 植物篱配置可采用地埂＋单种乔木植物篱、地埂＋单种灌木植物篱、地埂＋单种草本植物篱、地埂＋乔木混交植物篱、地埂＋灌木混交植物篱以及地埂＋灌草混交植物篱等模式。

16.2.4 沟垄种植可应用于坡度小于20°的坡耕地。垄高宜取20cm～30cm，沟内或垄上种作物。南方地区沟内不隔埂时，沟垄应与等高线呈1％～2％比降。不同地区根据区域特点可选择以下耕作法：

1 水平沟可适用于黄土高原地区的坡耕地。宜采用套二犁开沟起垄播种，开沟深度宜取17cm～30cm，垄高10cm，沟距宜取

60cm,沟间距可根据坡度和降雨条件适当调整,坡度陡、雨量大,间距宜小;坡度缓、雨量小,区间距宜大。

2 垄作区田可适用于东北黑土区坡度 1°～15°的坡耕地,最适宜坡度小于 6°的坡耕发。区田土埂应从田块最高处开始修筑,土埂应低于垄台 2cm～3cm,高度宜取 14cm～16cm,土埂间距宜为 60cm～70cm,底宽宜为 30cm～45cm,顶宽宜为 10cm～20cm。

3 格网式垄作可适用于西南紫色土区坡耕地。顺坡开厢,垂直起垄,形成封闭垄沟,厢宽 1.8m～2m。

4 畦状沟垄可适用于南方红壤区,坡地起垄沟,每隔 5 条～6 条沟垄留一田间小路,兼作排水道,形成坡面长畦;沿排水道每 20m～30m 作一横向畦埂,将长畦隔成短畦。

5 蓄水聚肥改土耕作。表土集中于沟、生土起垄,沟内种植农作物,沟中表土和松土层厚宜为 30cm～40cm,生土垄高宜为 10cm～20cm。

16.2.5 坑田(掏钵)种植应在坡耕地上沿等高线划分成若干 1m² 的小耕作区,每区掏 1 钵～2 钵,种植坑上下交错,等高成行。一钵一苗种植坑直径宜为 20cm～25cm,深宜为 20cm～25cm,穴间距离宜为 15cm～20cm;一钵数苗种植坑直径宜为 50cm,深宜为 30cm～40cm,穴间距离宜为 50cm。

16.3 覆 盖 措 施

16.3.1 草田轮作设计应符合下列规定:

1 适用于地多人少的农区或半农牧区。

2 短期轮作,主要适用于农区,种 2a～3a 农作物后,种 1a～2a 草类,草种以短期绿肥、牧草为主;长期轮作,主要适用于半农半牧区,种 4a～5a 农作物后,种 5a～6a 草类,草种以多年牧草为主。

16.3.2 间作设计应符合下列要求:

1 选为间作的两种作物应具备生态群落相互协调、生长环境互补的特点。

2 间作形式可采取行间间作和株间间作。

16.3.3 套种设计应符合下列要求：

1 在同一地块内，前季作物生长的后期，在其间或株间可播种或移栽后季作物，两种作物收获时间应不同。

2 套种作物配置的协调互补要求应与间作相同。

16.3.4 带状间作设计应符合下列规定：

1 作物带状间作的作物种类应符合本规范第16.3.2条的规定；间作条带方向，基本上沿等高线，或与等高线保持1‰～2‰的比降；条带宽度宜取5m～10m，两种作物可取等宽，也可采取不同宽度。

2 草粮带状间作，草类可按本规范第16.3.1条的规定执行；作物带与草带的宽度宜取二者等宽。

16.3.5 合理密植可适用于耕作粗放、作物植株密度偏低的地区。

16.3.6 休闲地种绿肥设计应符合下列规定：作物未收获前10d～15d，在作物行间顺等高线地面播种绿肥植物；暴雨季节过后，将绿肥翻压土中，或收割作为牧草。

16.3.7 覆盖种植应包括秸秆还田、砂石覆盖、地膜覆盖等措施，其设计应符合下列规定：

1 秸秆还田可适用于燃料、饲料比较充裕的地方，包括秸秆覆盖或粉碎直接还田、秸秆堆沤还田、秸秆养畜（过腹还田）、留茬覆盖等，稻草、麦秸用量宜为4500kg/hm²～7500kg/hm²。

2 砂石覆盖可适用于西北干旱、半干旱地区。将河卵石、冰碛石与粗砂混合后覆盖于农田地表，直接种植，多年不犁耕。有条件灌溉的水砂田，砂石覆盖厚度宜取5cm～6cm，旱砂田砂石覆盖厚度宜取15cm～18cm。

3 地膜覆盖可适用于半湿润、半干旱地区，结合早春作物播种使用。

4 青草覆盖可适用于南北方地区果园、茶园，中耕除草后，将青草直接覆盖在地表。

16.3.8 少耕免耕可适用于干旱半干旱、受风蚀影响较大地区。对于坡耕地,宜与等高种植措施结合,还可与秸秆覆盖措施相结合形成免耕覆盖。

16.4 改良土壤措施

16.4.1 深耕深松适用于耕作层薄、土壤质地为中、重壤土或黏土的坡耕地。耕松深度宜取 25cm～30cm。

16.4.2 增施有机肥适用土质黏重或砂性大的土壤以及新修梯田生土熟化,宜与配方平衡施肥相结合,不同土壤通过土壤化验,确定相应施肥方案。新修梯田生土熟化也可与种植绿肥、施有机肥等相结合。

16.4.3 留茬播种可适用于采用"一年两熟小麦＋秋作物"种植制度的、半湿润的华北及关中地区,残茬结合秋作中耕时进行处理。

17 固沙工程

17.1 一般规定

17.1.1 沙地、沙漠、戈壁等风沙区建设的生产建设项目,以及防沙治沙的生态建设项目,应采取防风固沙措施,建立防风固沙带。

17.1.2 固沙工程布设应因害设防、就地取材、经济合理。固沙工程应包括工程固沙、植物固沙、化学治沙和封育等措施。

17.1.3 固沙工程设计基本资料应包括地形图或遥感影像、气象资料、植被、土壤、防风固治现状调查、社会经济资料等。

17.2 防风固沙带设计

17.2.1 干旱风蚀荒漠化区防风固沙带设计,外围宜采取封育措施,其里侧宜配置沙障和人工林草带,内侧宜设置输导带。防风固沙带的结构配置应视风沙流特点及防护对象而搭配。

  1 绿洲防风固沙带布设,外围应对天然植被采取封育措施,或采取化学固沙措施,内侧营造防风固沙基干林带,绿洲内建设农田防护林网。

  2 公路、铁路、机场、输水工程的防风固沙带布设,外围宜设立高立沙障阻沙带,其内侧宜配置沙障或化学固沙带以及林草带,内侧设置输导带。

  3 金属矿、非金属矿、煤矿、煤化工、水泥、居民点的防风固沙带布设,外围宜建立天然林草封育带,其内侧宜配置沙障和人工林草带。

  4 对于风电、输变电等项目的防风固沙,宜采取砾石覆盖或沙障固沙。

  5 营造防风固沙林带,宜建设与之相配套的灌溉设施,并宜设置网围栏。

17.2.2 半干旱风蚀沙化地区防风固沙带设计，外围宜建立天然林草封育带，其内侧宜配置沙障或化学固沙带和人工林草带，且以植物措施为主、工程措施为辅。

1 处于流动沙地的公路、铁路、机场、水利、金属矿、非金属矿、煤矿工程的防风固沙带，外围宜建设封育带，内侧设置沙障、人工灌草和乔灌林带。

2 处于固定及半固定沙地的生产建设项目等扰动较重的、防沙治沙生态建设项目的防风固沙带，应视地表覆盖物而配置沙障，种植乔灌草；宜采用窄林带、宽草带，乔灌草相结合。

3 应采取必要封育措施，加强现有植被的保护。

17.2.3 高寒干旱荒漠、高寒半干旱风蚀沙化区的防风固沙带，外围宜建立天然林草封育带，其内侧宜配置沙障（化学固沙）和人工林草带。根据自然条件选择植物措施或工程措施。

1 电力、水利、水电、金属矿、非金属矿、煤矿、煤化工、居民点等防风固沙带，外围应建立封禁带，内侧应设置天然植被封育带、沙障和人工灌草固沙带。

2 高寒干旱荒漠化区域的公路、铁路、机场等防风固沙带，外侧宜配置多排高立式沙障，内侧宜设置沙障、人工灌草带和输导带。

3 在高寒半干旱风蚀沙化区的公路、铁路、机场等防风固沙带，外侧宜建设封沙育草带，内侧宜布设沙障、人工灌草带和输导带。

17.2.4 半湿润平原风沙区的防风固沙带设计，应以固为主，措施上以植物措施为主，林分构成上可采取林林、林草、林苗、林菜、林药、林菌等多种立体栽培模式，防止树种结构单一引发病虫危害。黄泛区，宜配置防风固沙林带、防风固沙草带。

1 可采用田间保墒固沙措施（深松改垄、地面覆盖、作物间混套种）和农林间作防沙措施。

2 料场、弃渣场、施工生产生活区、施工道路、防沙治沙生态建设项目,宜采用土地整治,植树种草。

17.2.5 湿润气候带沙山、风沙区的防风固沙带,外围宜营造草本植物带,其内侧宜配置灌木带及配置乔木带。应以固为主,林分构成上可采用速生林与经济林相间的设计。当土壤为盐土时,宜采用客土植树的方法,营造海岸防风固沙林带。

17.3 防风固沙措施设计

17.3.1 沙障设计应符合下列规定:

1 沙障工程可利用作物秸秆、活性沙生植物的枝茎、黏土、卵石、砾质土、纤维网等,在沙面上设置障碍物或铺压遮蔽物,固定地面沙粒,减缓和制止沙丘流动。

2 沙障按材料可分为:秸秆沙障、沙生植物沙障、苇秆沙障、黏土沙障、卵(碎)石沙障、碎石沙障、砾质土沙障、纤维网沙障、砌石沙障、板条沙障、盐块沙障、栅栏沙障等。根据沙障与地面的角度可分为平铺式沙障、直立式沙障。

3 沙障设置方向应与主风向垂直。

4 沙障的配置宜采用行列式配置和方格式配置。在风向稳定,以单向起沙风为主的地区及新月形沙丘迎风坡1/2处宜采用行列式沙障。在主风向不稳定区域,宜采用格状式沙障。

5 栅栏沙障按材料可分为枝条(芦苇)栅栏、维尼龙网栅栏、高立式石条板,高度宜取1.2m～2.0m,间距宜取高度的7倍～12倍,带的宽度宜取20m～50m。

6 砾质土覆盖,覆盖厚度宜取30mm～80mm。

17.3.2 化学固沙设计应符合下列规定:

1 化学治沙材料的分类应包括天然化学治沙材料、人工配制化学治沙材料、合成化学治沙材料。

2 喷洒形式应采用全面喷洒和局部带状喷洒。应在沙面形成厚5mm左右的结皮层。

17.3.3 防风固沙林设计应符合下列规定：

1 树种应选择适应当地生长，有利于发展农、牧业生产的优良树种和乡土树种。乔木树种应具有耐瘠薄、干旱、风蚀、沙割、沙埋，生长快，根系发达，分枝多，冠幅大，繁殖容易，抗病虫害等优点。灌木应选择防风固沙效果好，抗旱性能强，不怕沙埋，枝条繁茂，萌蘖力强的树种。

2 林带结构：应根据风沙流危害，选用紧密结构林带、透风结构林带、疏透结构林带。

3 林带宽度：应建设防风固沙基干林带，带宽应为20m～50m，可采取多带式。

4 林带间距：防风固沙基干林带，带间距应为30m～100m。

5 林带混交类型：应包括乔灌混交、乔木混交、灌木混交、综合性混交。

17.3.4 防风固沙种草设计应符合下列规定：

1 适用条件：应在林带与沙障已基本控制风蚀和流沙移动的沙地上。

2 征地措施：应根据土地沙化程度、气候条件选择。

3 草种选择：应根据利用方向，选择纯播或3种～5种混播。

17.3.5 输导带位于固沙带的下方，应根据风沙流特点，选择输沙带、导沙带的设计。

17.3.6 飞播造林种草应选择适生灌草，播区应集中连片，并应落实后期管护与利用。

17.3.7 封育设计应符合本规范第19章的规定。

18 林草工程

18.1 一般规定

18.1.1 具有生态功能的造林种草工程设计应符合下列规定：

1 应与水土保持区划所确定的水土保持主导功能相适应。

2 应以防治水土流失为主，并应与当地生产、生活条件相适应。

3 应注重生物多样性，采用以乡土树草种为主的多林种、多草种配置。

18.1.2 坡地上具有生产功能的造林种草工程设计应符合下列规定：

1 应与水土保持区划所确定水土保持主导功能相适应。

2 应根据项目区的自然条件、当地经济状况、产业结构及发展方向，确定工程建设的规模和特性。

3 应在防治水土流失的基础上，注重经济效益，着力于提高土地生产力。

18.1.3 生产建设项目植被恢复与建设工程设计应符合下列规定：

1 在不影响主体工程安全的前提下，应优先满足生态与景观要求。

2 应与生物多样性保护和景观建设相结合，合理配置树草种。

18.1.4 小流域人工湿地设计应符合下列规定：

1 农村生活污水处理后，排入河道前宜布置小流域人工湿地。

2 对于清洁型小流域，其人工湿地设计应满足沉积泥沙、改善水质和营造景观的功能。

18.1.5 坡度5°以下的平缓地、自然坡地和生产建设项目中经土地整治达到绿化条件的各类坡地,应在满足造林或种草所需的土壤水肥及光热条件下布置,生产建设项目林草措施区域应在土地整治的基础上布置。

18.1.6 林草措施设计应在工程布置的基础上,根据立地类型划分和树(草)种的组成与配置等进行分类典型设计。

18.2 工程布置

18.2.1 具有生态、生产功能的造林种草工程设计应符合下列规定:

1 应按不同水土流失类型区及土壤侵蚀在不同地形部位的发生特点,因害设防,布置适宜的水土保持林种。

2 应以小流域水土流失综合治理为设计单元,改善当地生产、生活条件为目标,应根据不同流域地形、地貌部位因地制宜地按山、水、田、林、路,从流域上游到出口,层层设防地布置适宜的防护林林种。

3 应在水土流失轻微、交通方便、立地条件较好、具有灌溉条件处配置经济林果。

18.2.2 生产建设项目植被恢复与建设工程布置应符合下列规定:

1 应按对水土资源的扰动程度和潜在危害程度,配合水土保持工程措施,因地制宜地布置林草措施。

2 应统筹布局,生态和景观要求相结合,并应与周边自然景观协调。

3 应满足为项目区生产、生活服务的功能要求。

18.2.3 小流域人工湿地布置应符合下列规定:

1 宜布置在有条件保持湿地水文和湿地土壤的区域。

2 宜布置在城镇郊区、饮水水源保护区和风景名胜区。

3 宜随地形和功能,保持岸线自然弯曲,采用拟自然湿地剖面形态设计。

18.3 立地类型划分

18.3.1 基本植被类型区应根据工程所处自然气候区和植被分布带确定。

18.3.2 工程涉及若干地域时,应先根据水热条件和主要地貌划分若干立地类型组,再划分立地类型。

18.3.3 立地类型组宜采用海拔、降水量、土壤类型等主导因子划分;立地类型宜采用土壤质地、土壤厚度和地下水等主导因子划分,各类边坡立地类型划分主导因子中需补充坡向、坡度因子;生产建设项目立地类型宜按地面物质组成、覆土状况、特殊地形等主要因子划分。

18.4 树草种选择

18.4.1 林草措施基本类型应根据立地类型、项目区植被类型、防护功能要求,遵循适地适树(草)原则确定。

18.4.2 适宜的树种或草种应根据林草措施基本类型、土地利用方向选择。树种选择应符合国家标准《生态公益林建设 技术规程》GB/T 18337.3—2001附录A中表A1～表A8和附录B的规定。

18.4.3 坡地林草工程措施应选择乔灌木树种、攀缘植物或低矮匍伏型草种。应根据边坡的坡度、坡向、土层厚度等条件,采用乔、灌、草或其组合的防护措施,种植条件差的可采用藤本植物护坡。

18.4.4 生产建设项目弃渣场、料场、采石场、高陡边坡和裸露地等工程扰动区域,应根据限制性立地因子选择适宜树(草)种。适宜树(草)种可按本规范附录C选择。

18.4.5 具有生产功能的林草工程树(草)种选择,应结合当地产业结构等要求。

18.4.6 小流域人工湿地宜采取挺水植物为主,挺水植物、浮水植物与沉水植物相结合的配置方式。

18.5 造林整地

18.5.1 地势平坦的草原、草地、滩涂和无风蚀固定沙地,生产建设项目经土地整治后满足造林种草覆土要求的,及具有生产功能的造林种草措施应采取全面整地。生态脆弱地区不宜采取全面整地。

18.5.2 采取局部整地的,可采用带状整地和块状整地方式。带状整地方向宜为南北向,在风害严重地区,整地带走向应与主风方向垂直;有一定坡度时,宜沿等高线进行。

18.5.3 干旱半干旱地区应进行集水整地。

18.5.4 坡地林草工程措施中自然坡面及土壤母质层较厚的采挖坡面、土质堆垫坡面和覆土坡面,可采用鱼鳞坑、反坡梯田、水平阶及水平沟整地。有抗旱拦蓄要求的,整地设计应满足林木生长需水要求。

18.5.5 造林整地规格可按现行国家标准《生态公益林建设 技术规程》GB/T 18337.3 和《水土保持综合治理 技术规范》GB 16453的有关规定执行。

18.6 造林方式与植草方式

18.6.1 造林方式宜采用植苗造林,应符合下列规定:

1 选用针叶树苗木的或立地条件较差的,宜采用容器苗造林;生产建设项目宜采用容器苗和带土球大苗造林。

2 营造水土保持林宜采用 0.5a~3a 龄苗木,其他防护林宜采用 2a~3a 龄苗木。

3 成片造林的,宜采取混交造林,包括行状、带状、块状混交和植生组混交。成片纯林造林的,面积不宜大于 $10hm^2$。

4 造林初始密度可按现行国家标准《生态公益林建设 技术

规程》GB/T 18337.3 或《造林技术规程》GB/T 15776 的有关规定执行。

5 造林季节可根据当地具体情况选择春季造林、雨季造林及秋季造林。春季造林应根据树种物候期和土壤解冻情况,宜在树木发芽前完成,南方造林在土壤墒情好时宜早,北方造林宜待土壤解冻到适宜深度。冬季无冻拔危害的地区,可在秋末冬初造林。

18.6.2 植草方式应符合下列规定:

1 应根据土地利用方向,确定牧草、绿肥草、水土保持草或草坪草等草种;选用外来草种应经生态安全试验验证。

2 人工草地和草坪宜采用三种以上草种混播。

3 播种植草的,播种前应采取种子催芽处理。

4 草种选择、种草方式、播种量及整地方式可按现行国家标准《水土保持综合治理 技术规范》GB 16453 的有关规定执行。

18.7 其他规定

18.7.1 具有生产功能的造林种草措施设计还应符合下列规定:

1 满足具有生产功能林草工程的立地应具备良好的土壤水肥及光热条件;宜结合梯田工程、灌溉引水工程或雨洪集蓄工程,改善立地水肥条件。

2 成规模集约经营的,基地建设应具有一定规模,相对集中连片。应以县(林场)为单位,主栽树种(品种)规划总面积不小于 $1000hm^2$。

3 坡地成规模集约经营的,应采取田埂、田坎林草配置或与水土保持林(草)水平带状混交配置。

18.7.2 困难立地包括盐碱地、石质母质等造林条件恶劣的区域以及生产建设项目形成的高陡边坡,其林草工程设计还应符合下列规定:

1 盐碱地造林前应全面整地,配套排水系统,栽植耐盐碱植物。

2 石质母质困难立地主要包括南方石漠化地区、南方崩岗地区以及北方砒砂岩地区等。石漠化地区林草工程设计应按现行行业标准《岩溶地区水土流失综合治理规范》SL 461的有关规定执行;崩岗治理设计应按现行国家标准《水土保持综合治理 技术规范》GB 16453的有关规定执行;北方砒砂岩地区宜采取以沙棘为主的生物措施治理;条件极恶劣地区宜采用自然封禁恢复植被。

3 生产建设项目形成的高陡边坡应包括料场、裸露地、闲置地以及工程开挖填筑形成的45°～70°边坡。

1) 高陡边坡宜采取客土绿化、喷播绿化、生态植生袋等林草措施;
2) 在覆土来源困难的地区,可采取客土绿化措施,干旱地区应配套灌溉设施;
3) 坡度为45°～60°的缓陡岩石坡面,宜通过混喷植物种子、栽植乔木和灌木等方法,应按一定比例配置,营造乔、灌、草复合的植物群落结构;
4) 坡度为60°～70°的高陡岩石坡面,应通过调研或试验选用相应绿化技术,采取藤本为主、草本或灌木为辅的植物措施体系。

18.7.3 小流域人工湿地设计还应符合下列规定:

1 湿地岸线应符合防洪安全的需要,在水量较大及水流冲顶位置岸线应足够牢固。

2 湿地建造材料应以自然原生、能创造多孔隙空间的材料为主,避免使用混凝土等人造材料。

3 湿地植物物种的选择,可根据植物的净化能力、抗逆性、生长能力和景观价值等因素确定。以处理农村生活污水为目的的,应首先满足净化水质的要求。

4 植物配置应以本地植物为主,并应保持湿地植物种类多样性。在净化水体的同时,与区域景观相协调。

18.7.4 园林式种植绿化还应符合下列规定:

1 地被设计应与整体环境协调,应按光照强度、地形、土壤等条件选择植物,宜采用片植、花带及装饰等形式。

2 花坛设计应与整体环境协调,主题突出。

3 草坪设计应根据其观赏效果、气候因素、生长条件及是否准许游人进入踩踏等要求,选择适宜的草种和种植类型。

4 行道树设计应选择树干通直、生长健壮、无病虫害的优质树木。

18.8 配套工程

18.8.1 在较大规模进行林草生态工程建设时,应配套苗圃,苗圃设计应按现行行业标准《林业苗圃工程设计规范》LYJ 128 的有关规定执行。苗圃生产的苗木质量应符合现行国家标准《主要造林树种苗木质量分级》GB 6000 的有关要求。

18.8.2 其他配套工程设计应包括土壤改良工程、给水工程、排水工程以及作业道路工程,并应根据工程具体情况选择实施。

18.8.3 小流域人工湿地应辅以定期清淤以及湿地植物的管理和维护配套措施等。

18.9 工程施工

18.9.1 林草工程在施工结束后,应进行最少为期 2a~3a 的管护。

18.9.2 对具有生产功能的林草工程应增施基肥。

19 封育工程

19.1 一般规定

19.1.1 封育工程布置应符合下列规定：

1 具有母树、天然下种条件或萌蘖条件的荒地、残林疏林地、退化天然草地。

2 不适宜人工造林的高山、陡坡、水土流失严重地段。

3 沙丘、沙地、海岛、沿海泥质滩涂等经封育有望成林(灌)或增加植被盖度的地块。

19.1.2 封育应与人工造林种草统一规划，通过封育措施可恢复林草植被的，可直接封育；自然封育困难的造林区域，应辅以人工造林种草。

19.2 封育设计

19.2.1 封育方式应符合下列规定：

1 应依据项目区水土流失情况、原有植被状况及当地群众生产生活实际，确定封育方式为全封、半封或轮封。

2 应依据项目区立地条件，选择适宜的封育类型，封育类型分为乔木型、乔灌型、灌木型、灌草型、竹林型。

19.2.2 封育规划设计应包括下列规定：

1 封山(沙)育林作业应以封育区为单位，设计内容应包括封育区范围及概况、封育类型、封育方式、封育年限、封育组织和封育责任人、封育作业措施、投资概算、封育效益及相关附表、附图。

2 封育年限设计标准应根据封育类型按表19.2.2的规定执行。

表 19.2.2 封育年限设计标准

封育类型		封育年限(a)	
		南方	北方
无林地和疏林地封育	乔木型	6~8	8~10
	乔灌型	5~7	6~8
	灌木型	4~5	5~6
	灌草型	2~4	4~6
	竹林型	4~5	—
有林地和灌木林地封育		3~5	4~7

19.3 配套设施

19.3.1 在封育区域应设置警示标志。封育面积 100hm² 以上的，最少应设立 1 块固定标牌，人烟稀少的区域可相对减少。

19.3.2 管护人员应根据封禁范围和人、畜危害程度设置，每个管护人员管护面积宜为 100hm²~300hm²。

19.3.3 在牲畜活动频繁地区应设置围栏及界桩。封育区无明显边界或无区分标志物时，可设置界桩以示界线。

19.3.4 以烧柴为主要燃料来源的封育区域，应配置节柴灶和沼气池等。

19.3.5 在牧区封育时应对牲畜进行舍饲圈养。

附录 A 水文计算

A.1 一般规定

A.1.1 计算设计洪水和输沙量应从实际出发,深入调查了解流域特性或集水区域基本情况,注重基本资料的可靠性。

A.1.2 具有洪水、泥沙实测资料的,应根据资料条件和工程设计要求,按现行行业标准《水利水电工程设计洪水计算规范》SL 44 的有关规定进行分析计算。

A.1.3 无洪水、泥沙观测资料的,可按现行行业标准《水利水电工程设计洪水计算规范》SL 44 的有关规定执行。

A.2 设计洪水计算

A.2.1 水土保持工程设计所依据的各种标准的设计洪水应包括洪峰流量、洪水总量、洪水过程线等,可根据工程设计要求计算其全部或部分内容。

A.2.2 对于汇水面积小于 300km^2 的小流域,其设计洪峰流量应符合下列规定:

1 设计洪峰流量应按下列公式计算:

$$Q_\text{m} = 0.278 \left(\frac{S_p}{\tau^n} - \mu \right) F \quad (\text{全面汇流}, t_\text{c} \geqslant \tau) \quad (\text{A.2.2-1})$$

$$Q_\text{m} = 0.278 \left(\frac{S_p t_\text{c}^{1-n} - \mu t_\text{c}}{\tau} \right) F \quad (\text{部分汇流}, t_\text{c} < \tau)$$

$$(\text{A.2.2-2})$$

$$\tau = \frac{0.278 L}{m J^{\frac{1}{3}} Q_\text{m}^{\frac{1}{4}}} \quad (\text{A.2.2-3})$$

$$t_\text{c} = \left[(1-n) \frac{S_p}{\mu} \right]^{1/n} \quad (\text{A.2.2-4})$$

式中：Q_m——设计洪峰流量（m³/s）；

F——汇水面积（km²）；

S_p——设计雨力，即重现期（频率）为 p 的最大 1h 降雨强度（mm/h）；

τ——流域汇流历时（h）；

t_c——净雨历时或称产流历时（h）；

μ——损失参数（mm/h），即平均稳定入渗率；

n——暴雨衰减指数，反映暴雨在时程分配上的集中（或分散）程度指标；

m——汇流参数，在一定概化条件下，通过本地区实测暴雨洪水资料综合分析得出；

L——河长（km），即沿主河道从出口断面至分水岭的最长距离；

J——沿河长（流程）L 的平均比降，以小数计。

2 m、n、μ 等可通过实测暴雨洪水资料，经分析综合得出，或查全国和各省（自治区、市）的暴雨洪水查算图表、《水文手册》等合理选用。对于无条件作地区综合的流域，汇流参数 m 可按表 A.2.2 选用。

表 A.2.2 汇流参数 m 查用表

类别	雨洪特性、河道特性、土壤植被条件	推理公式洪水汇流参数 m 值 $\left(\theta=\dfrac{L}{J^{1/3}}\right)$			
		$\theta=1\sim10$	$\theta=10\sim30$	$\theta=30\sim90$	$\theta=90\sim400$
I	北方半干旱地区、植被条件较差，以荒坡、梯田或少量的稀疏林为主的土石山区，旱作物较多，河道呈宽浅型，间隙性水流，洪水陡涨陡落	1.0~1.3	1.3~1.60	1.6~1.8	1.8~2.2

续表 A.2.2

类别	雨洪特性、河道特性、土壤植被条件	推理公式洪水汇流参数 m 值 $\left(\theta=\dfrac{L}{J^{1/3}}\right)$			
		$\theta=1\sim10$	$\theta=10\sim30$	$\theta=30\sim90$	$\theta=90\sim400$
Ⅱ	南北方地理景观过渡区,植被以疏林、针叶林、幼林为主的土石山区或流域内耕地较多	0.6～0.7	0.7～0.8	0.8～0.95	0.95～1.30
Ⅲ	南方、东北湿润山丘区,植被条件良好,以灌木林、竹林为主的石山区,或森林覆盖度达40%～50%,或流域内多为水稻田、卵石,两岸滩地杂草丛生,大洪水多为尖瘦型,中小洪水多为矮胖型	0.3～0.4	0.4～0.5	0.5～0.6	0.6～0.9
Ⅳ	雨量丰沛的湿润山区,植被条件优良,森林覆盖度可高达70%以上,多为深山原始森林区,枯枝落叶层厚,壤中流较丰富,河床呈山区型,大卵石,大砾石河槽,有跌水,洪水多为陡涨缓落	0.2～0.3	0.3～0.35	0.35～0.4	0.4～0.8

3 采用试算法计算求解推理公式时,应按计算流程(图A.2.2)进行计算。

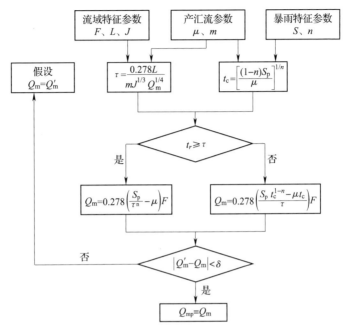

图 A.2.2 推理公式试算法计算设计洪峰流量流程图

A.2.3 采用推理公式法推算设计洪水总量时,可按下列公式计算:

$$W_p = \alpha H_p F \quad (A.2.3\text{-}1)$$

$$H_p = K_p \overline{H_{24}} \quad (A.2.3\text{-}2)$$

式中:W_p——设计洪水总量(10^4m^3);

　　H_p——频率为 p 的流域中心点 24h 雨量(mm);

　　α——洪水总量径流系数,无量纲,可采用当地经验值;

　　$\overline{H_{24}}$——流域最大 24h 暴雨均值(mm),可由当地水文手册查得;

　　K_p——频率为 p 的模比系数,由 C_v 及 C_s 的皮尔逊-Ⅲ型曲线 K_p 表中查得。

A.2.4 采用经验公式法推算设计洪峰流量和洪水总量时,可按下列公式计算:

$$Q_p = AF^m \quad (A.2.4\text{-}1)$$
$$W_p = BF^n \quad (A.2.4\text{-}2)$$

式中：A、B——地理参数，由当地水文手册中查得；

　　　m、n——指数，由当地水文手册中查得。

A.2.5 与设计洪峰流量 Q_p 和洪水总量 W_p 相配合，小流域设计洪水过程线宜采用概化三角形过程线（图 A.2.5），洪水总历时可按下列公式计算：

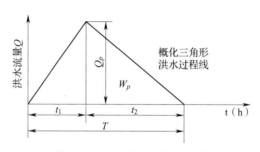

图 A.2.5　概化三角形过程线

$$T = t_1 + t_2 = 5.56 \frac{W_p}{Q_p} \quad (A.2.5\text{-}1)$$
$$t_1 = \alpha_{t_1} T \quad (A.2.5\text{-}2)$$

式中：T——洪水总历时(h)；

　　　t_1——涨洪历时(h)；

　　　t_2——退洪历时(h)；

　　　Q_p——设计洪峰流量(m^3/s)；

　　　W_p——设计洪水总量($10^4 m^3$)。

　　　α_{t_1}——涨洪历时系数，其值变化在 0.1～0.5 之间，视洪水产汇流条件而异，具体计算时取用当地的经验值。

A.2.6 蓄水型沟头防护工程来水量可按下式计算：

$$W = 10\varphi R_{(m,n)} F \quad (A.2.6)$$

式中：W——来水量(m^3)；

　　　F——沟头以上集水面积(hm^2)；

$R_{(m,n)}$——m 年一遇 n 小时最大降雨量（mm）；

φ——径流系数。

A.3 输沙量计算

A.3.1 沟道输沙量应包括悬移质输沙量和推移质输沙量两部分，可按下式计算：

$$\overline{W_{sb}} = \overline{W_s} + \overline{W_b} \quad (A.3.1\text{-}1)$$

式中：$\overline{W_{sb}}$——多年平均输沙量（10^4 t/a）；

$\overline{W_s}$——多年平均悬移质输沙量（10^4 t/a）；

$\overline{W_b}$——多年平均推移质输沙量（10^4 t/a）。

悬移质输沙量可按下列公式计算：

$$\overline{W_s} = \sum M_{si} F_i \quad (A.3.1\text{-}2)$$

$$\overline{W_s} = K\,\overline{M_0}^b \quad (A.3.1\text{-}3)$$

式中：M_{si}——分区输沙模数[10^4 t/(km²·a)]，可根据省、地有关水文图集、手册的输沙模数等值线图确定；

F_i——分区面积（km²）；

$\overline{M_0}$——多年平均径流模数（10^4 m³/km²）；

b——指数，采用当地经验值；

K——系数，采用当地经验值。

推移质输沙量 $\overline{W_b}$ 可按下式计算：

$$\overline{W_b} = \beta \overline{W_s} \quad (A.3.1\text{-}4)$$

式中：β——推悬比，宜取 0.05～0.15，山区应取大值，塬区及平原取小值。

A.3.2 当沟道中有已建坝库且运行一定年限，可采用已成坝库淤积调查法，按下式计算沟道多年平均输沙量：

$$W = \frac{W_{淤} + W_{排}}{N} \quad (A.3.2)$$

式中：W——沟道多年平均输沙量（t/a）；

$W_{淤}$——坝内泥沙淤积总量(t);
$W_{排}$——排沙量(t);
N——淤积年限(a)。

A.4 截排水设计流量计算

A.4.1 永久排水工程设计流量计算应符合下列规定:

1 永久截(排)水沟设计排水流量应按下式计算:

$$Q_m = 16.67\phi qF \qquad (A.4.1-1)$$

式中:q——设计重现期和降雨历时内的平均降雨强度(mm/min);
ϕ——径流系数。

2 径流系数 φ 按表 A.4.1-1 的要求确定。当汇水面积内有两种或两种以上不同地表种类时,应按不同地表种类面积加权求得平均径流系数。

表 A.4.1-1 径流系数 ϕ 参考值

地表种类	径流系数	地表种类	径流系数
沥青混凝土路面	0.95	起伏的山地	0.60～0.80
水泥混凝土路面	0.90	细粒土坡面	0.40～0.65
粒料路面	0.40～0.60	平原草地	0.40～0.65
粗粒土坡面	0.10～0.30	一般耕地	0.40～0.60
陡峻的山地	0.75～0.90	落叶林地	0.35～0.60
硬质岩石坡面	0.70～0.85	针叶林地	0.25～0.50
软质岩石坡面	0.50～0.75	粗砂土坡面	0.10～0.30
水稻田、水塘	0.70～0.80	卵石、块石坡地	0.08～0.15

3 当工程场址及其邻近地区有 10 年以上自记雨量计资料时,应利用实测资料整理分析得到设计重现期的降雨强度。当缺乏自记雨量计资料时,可利用标准降雨强度等值线图和有关转换系数,按下式计算降雨强度:

$$q = C_p C_t q_{5,10} \qquad (A.4.1-2)$$

式中:$q_{5,10}$——5 年重现期和 10min 降雨历时的标准降雨强度 (mm/min),可按工程所在地区,查中国 5 年一遇 10min 降雨强度 $q_{5,10}$ 等值线图(图 A.4.1-1)确定;

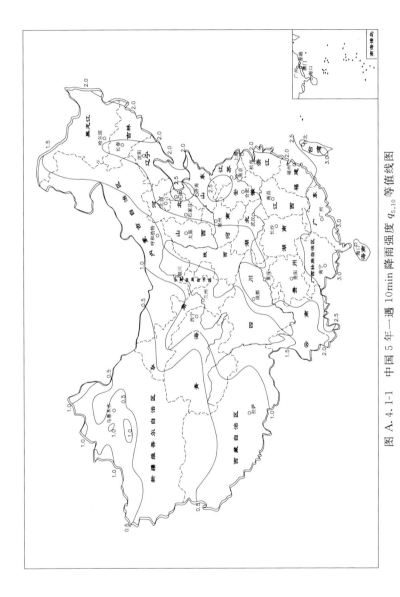

图 A.4.1-1 中国5年一遇10min降雨强度 $q_{5,10}$ 等值线图

C_p——重现期转换系数,为设计重现期降雨强度 q_p 同标准重现期降雨强度 q_5 的比值(q_p/q_5),按工程所在地区,由表 A.4.1-2 确定;

C_t——降雨历时转换系数,为降雨历时 t 的降雨强度 q_t 同 10min 降雨历时的降雨强度 q_{10} 的比值(q_t/q_{10}),按工程所在地区的 60min 转换系数(C_{60}),由表 A.4.1-3 查取,C_{60} 可由图 A.4.1-2 查取。

表 A.4.1-2 重现期转换系数(C_p)表

地　　区	重现期 P(年)			
	3	5	10	15
海南、广东、广西、云南、贵州、四川东、湖南、湖北、福建、江西、安徽、江苏、浙江、上海、台湾	0.86	1.00	1.17	1.27
黑龙江、吉林、辽宁、北京、天津、河北、山西、河南、山东、四川、重庆、西藏	0.83	1.00	1.22	1.36
内蒙古、陕西、甘肃、宁夏、青海、新疆(非干旱区)	0.76	1.00	1.34	1.54
内蒙古、陕西、甘肃、宁夏、青海、新疆(干旱区,约相当于 5 年一遇 10mm 降雨强度小于 0.5mm/mim 的地区)	0.71	1.00	1.44	1.72

表 A.4.1-3 降雨历时转换系数(C_t)表

C_{60}	降雨历时 t(min)										
	3	5	10	15	20	30	40	50	60	90	120
0.30	1.40	1.25	1.00	0.77	0.64	0.50	0.40	0.34	0.30	0.22	0.18
0.35	1.40	1.25	1.00	0.80	0.68	0.55	0.45	0.39	0.35	0.26	0.21
0.40	1.40	1.25	1.00	0.82	0.72	0.59	0.50	0.44	0.40	0.30	0.25
0.45	1.40	1.25	1.00	0.84	0.76	0.63	0.55	0.50	0.45	0.34	0.29
0.50	1.40	1.25	1.00	0.87	0.80	0.68	0.60	0.55	0.50	0.39	0.33

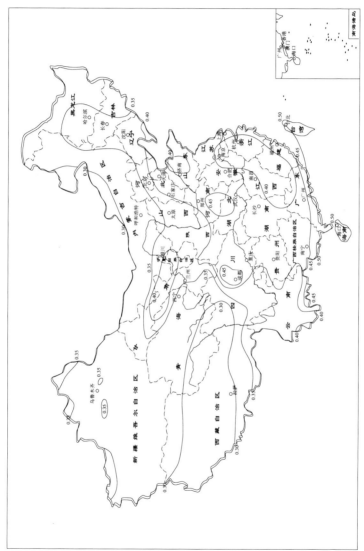

图 A.4.1-2 中国 60min 降雨强度转换系数(C_{60})等值线图

A.4.2 永久截(排)水沟设计排水流量计算应按下列流程(图 A.4.2)进行计算,并应符合下列要求:

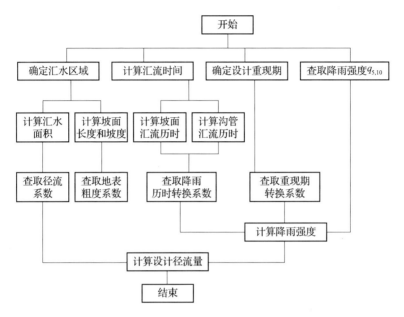

图 A.4.2 截(排)水沟设计排水流量计算流程框图

1 降雨历时应取设计控制点的汇流时间,其值为汇水区最远点到排水设施处的坡面汇流历时 t_1 与在沟(管)内的沟(管)汇流历时 t_2 之和。当路面有表面排水要求时,可不计沟(管)内的汇流历时 t_2。

2 坡面汇流历时可按下式计算:

$$t_1 = 1.445 \left(\frac{m_1 L_s}{\sqrt{i_s}} \right)^{0.467} \quad (A.4.2\text{-}1)$$

式中:t_1——坡面汇流历时(min);

L_s——坡面流的长度(m);

i_s——坡面流的坡降,以小数计;

m_1——地面粗度系数,可按地表情况查表 A.4.2-1 确定。

表 A.4.2-1 地面粗度系数 m_1 参考值

地表状况	粗度系数	地表状况	粗度系数
光滑的不透水地面	0.02	牧草地、草地	0.40
光滑的压实地面	0.10	落叶树林	0.60
稀疏草地、耕地	0.20	针叶树林	0.80

3 计算沟(管)内汇流历时 t_2 时,先在断面尺寸、坡度变化点或者有支沟(支管)汇入处分段,应分别计算各段的汇流历时后再叠加而得,并应按下式计算:

$$t_2 = \sum_{i=1}^{n}\left(\frac{l_i}{60v_i}\right) \quad (A.4.2\text{-}2)$$

式中:t_2——沟(管)内汇流历时(min);

　　n、i——分段数和分段序号;

　　l_i——第 i 段的长度(m);

　　v_i——第 i 段的平均流速(m/s)。

　1)沟(管)平均流速 v 按下列公式计算:

$$v = \frac{1}{n}R^{2/3}I^{1/2} \quad (A.4.2\text{-}3)$$

$$R = A/X \quad (A.4.2\text{-}4)$$

式中:n——沟壁(管壁)的粗糙系数,按表 A.4.2-2 确定;

　　R——水力半径(m);

　　X——过水断面湿周(m);

　　I——水力坡度,可取沟(管)的底坡,以小数计。

表 A.4.2-2 排水沟(管)壁的粗糙系数(n值)

排水沟(管)类别	粗糙系数	排水沟(管)类别	粗糙系数
塑料管(聚氯乙烯)	0.010	植草皮明沟($v=1.8\text{m/s}$)	0.050~0.090
石棉水泥管	0.012	浆砌石明沟	0.025
铸铁管	0.015	浆砌片石明沟	0.032
波纹管	0.027	水泥混凝土明沟(抹面)	0.015
岩石质明沟	0.035	水泥混凝土明沟(预制)	0.012
植草皮明沟($v=0.6\text{m/s}$)	0.035~0.050		

2）沟（管）平均流速 v 也可采用下式估算：
$$v = 20 i_g^{0.6} \qquad (A.4.2-5)$$
式中：i_g——该段排水沟（管）的平均坡度。

A.4.3 黄土高原或具备超渗产流条件的梯田工程，其坡面截排水沟设计流量计算可按下式计算：
$$Q = \frac{F}{6}(I_r - I_p) \qquad (A.4.3)$$
式中：Q——设计最大流量（m³/s）；
I_r——设计频率短历时暴雨（mm/min）；
I_p——相应时段土壤平均入渗强度（mm/min）；
F——坡面汇水面积（hm²）。

附录 B 稳 定 计 算

B.0.1 对于淤地坝、拦沙坝、拦渣堤(坝、堰)以及挡渣墙等水土保持工程,应进行稳定计算。

B.0.2 采用土(土石)等填筑材料的拦挡建筑物,坝坡稳定计算应符合下列规定:

1 应采用水力学方法、流网法或有限元法进行坝体渗流计算,确定坝体浸润线位置,计算渗流流量、平均流速和渗流逸出坡降,作为坝体稳定计算的依据,检验土体的渗流稳定,防止发生管涌和流土。

2 坝坡整体稳定计算应进行运用期下游坝坡稳定计算。对于水坠坝,应进行施工中、后期坝坡整体稳定及边埂自身稳定性计算。

3 坝坡抗滑稳定计算应采用刚体极限平衡法。对于非均质坝体,宜采用不计条块间作用力的圆弧滑动法;对于均质坝体,宜采用计及条块间作用力的简化毕肖普法;当坝基存在软弱夹层时,土坝的稳定分析通常采用改良圆弧法。当滑动面呈非圆弧形时,采用摩根斯顿-普赖斯法(滑动面呈非圆弧形)计算。

圆弧滑动(图 B.0.2-1)稳定可按下列公式计算。

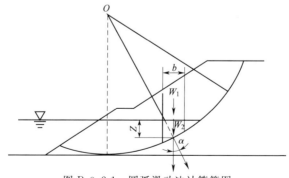

图 B.0.2-1 圆弧滑动法计算简图

1)简化毕肖普法：

$$K=\frac{\sum\{[(W\pm V)\sec\alpha-ub\sec\alpha]\tan\varphi'+c'b\sec\alpha\}[1/(1+\tan\alpha\tan\varphi'/K)]}{\sum[(W\pm V)\sin\alpha+M_C/R]}$$

(B.0.2-1)

2)瑞典圆弧法：

$$K=\frac{\sum\{[(W\pm V)\cos\alpha-ub\sec\alpha-Q\sin\alpha]\tan\varphi'+c'b\sec\alpha\}}{\sum[(W\pm V)\sin\alpha+M_C/R]}$$

(B.0.2-2)

式中：b——条块宽度(m)；

W——条块重力(kN)；

W_1——在边坡外水位以上的条块重力(kN)；

W_2——在边坡外水位以下的条块重力(kN)；

Q、V——水平和垂直地震惯性力(向上为负，向下为正)(kN)；

u——作用于土条底面的孔隙压力(kPa)；

α——条块的重力线与通过此条块底面中点的半径之间的夹角(°)；

c'、φ'——土条底面的有效应力抗剪强度指标；

M_C——水平地震惯性力对圆心的力矩(kN·m)；

R——圆弧半径(m)。

改良圆弧法(图 B.0.2-2)计算弃渣边坡稳定可按下列公式计算：

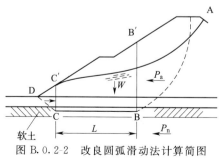

图 B.0.2-2 改良圆弧滑动法计算简图

$$K = \frac{P_n + S}{P_a} \quad (B.0.2-3)$$

$$S = W\tan\varphi + CL \quad (B.0.2-4)$$

式中：W——土体 $B'BCC'$的有效重量(kN)；

C,φ——软弱土层的凝聚力及内摩擦角(°)；

P_a——滑动力(kN)；

P_n——抗滑力(kN)。

当采用摩根斯顿-普赖斯法(图 B.0.2-3)计算抗滑稳定安全系数时，应按下列改进方法计算：

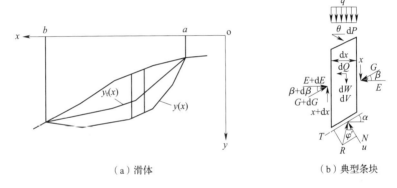

（a）滑体　　　　　　　　（b）典型条块

图 B.0.2-3　摩根斯顿-普赖斯法(改进方法)计算简图

$$\int_a^b p(x)s(x)\mathrm{d}x = 0 \quad (B.0.2-5)$$

$$\int_a^b p(x)s(x)t(x)\mathrm{d}x - M_e = 0 \quad (B.0.2-6)$$

$$p(x) = \left[\frac{\mathrm{d}W}{\mathrm{d}x} \pm \frac{\mathrm{d}V}{\mathrm{d}x} + q\right]\sin(\varphi' - \alpha) - u\sec\alpha\sin\varphi'_e +$$

$$c'_e\sec\alpha\cos\varphi'_e - \frac{\mathrm{d}Q}{\mathrm{d}x}\cos(\varphi'_e - \alpha) \quad (B.0.2-7)$$

$$s(x) = \sec(\varphi'_e - \alpha + \beta)\exp\left[-\int_a^x \tan(\varphi'_e - \alpha + \beta)\frac{\mathrm{d}\beta}{\mathrm{d}\zeta}\mathrm{d}\zeta\right]$$

$$(B.0.2-8)$$

$$s(x) = \int_a^x (\sin\beta - \cos\beta\tan\alpha)\exp\left[\int_a^\zeta \tan(\varphi'_e - \alpha + \beta)\frac{d\beta}{d\zeta}d\zeta\right]$$
(B.0.2-9)

$$M_e = \int_a^b \frac{dQ}{dx}h_e dx \quad \text{(B.0.2-10)}$$

$$C_e = \frac{c'}{K} \quad \text{(B.0.2-11)}$$

$$\tan\varphi'_e = \frac{\tan\varphi'}{K} \quad \text{(B.0.2-12)}$$

式中：dx——土条宽度；

dW——土条重量；

q——坡顶外部的垂直荷载；

M_e——水平地震惯性力对土条底部中点的力矩；

dQ、dV——土条的水平和垂直地震惯性力（向上为负，向下为正）；

α——条块底面与水平面的夹角；

β——土条侧面的合力与水平方向的夹角；

h_e——水平地震惯性力到土条底面中点的垂直距离。

土的抗剪强度指标可用三轴剪力仪测定，亦可用直剪仪测定。采用的试验方法和强度指标按表 B.0.2 的规定进行，抗滑稳定计算时，可根据各种运用情况选用。

表 B.0.2 土的强度指标

弃渣场工作状态	计算方法	强度指标
无渗流、稳定渗流期和不稳定渗流期	有效应力法	C'，ϕ'
不稳定渗流期	总应力法	C_{cu}，ϕ_{cu}

运用本规范公式（B.0.2-1）和公式（B.0.2-2）时，应遵守下列原则：

1）静力计算时，地震惯性力应等于零；

2）坝体（或弃渣）无渗流期运用时，条块应为湿容重；

3）稳定渗流期用有效应力法计算，孔隙压力 u 应由"$u - \gamma_w Z$"

代替,条块重 $W=W_1+W_2$,W_1 为外水位以上条块实重,浸润线以上为湿重,浸润线和外水位之间为饱和重,W_2 为外水位以下条块浮重;

4)水位降落期用有效应力法计算时,应按降落后的水位计算,方法同本条第3款。用应力法时,c'、ϕ' 应采用 c_{cu}、ϕ_{cu} 代替;分子应采用水位降落前条块重 $W=W_1+W_2$,W_1 为外水位以上条块湿重,W_2 为外水位以下条块浮容重;分母应采用水位降落后条块重 $W=W_1+W_2$,W_1 浸润线以上为湿重,浸润线和外水位之间为饱和重,W_2 为外水位以下条块浮容重;u 采用 $u_i-\gamma_w Z$ 代替,u_i 为水位降落前孔隙压力。

B.0.3 坝体稳定计算,水坠坝应进行施工中、后期坝坡整体稳定及边埂自身稳定性计算,竣工后应进行稳定渗流期下游坝坡稳定计算。碾压式土坝应进行运用期下游坝坡稳定计算。地震区还应进行抗震稳定性验算。砌石坝应进行正常蓄水位和校核洪水位情况下稳定计算。

1 土坝的强度指标应按坝体设计干容重和含水率制样,采用三轴仪测定其总应力或有效应力强度指标,抗剪强度指标的测定和应用方法可按现行行业规范《碾压式土石坝设计规范》SL 274 的有关规定选用。试验值可按表 B.0.3-1 的规定取值进行修正。

表 B.0.3-1 强度指标修正系数

计算方法	试验方法	修正系数
总应力法	三轴不固结不排水剪	1.0
	直剪仪快剪	0.5~0.8
有效应力法	三轴固结不排水剪(测孔压)	0.8
	直剪仪慢剪	0.8

注:根据试样在试验过程中的排水程度选用,排水较多时取小值。

2 当进行水坠坝施工期的坝坡整体稳定性计算时,坝体冲填土可按饱和土体采用差分法进行固结计算。采用总应力法计算坝体含水量分布,采用有效应力法计算坝体孔隙水压力分布。坝高15m以下的水坠坝可采用土坡稳定数图解法。具体计算方法应按现行行业规范《水坠坝技术规范》SL 302 的有关规定执行。

3 水坠坝施工期边埝自身稳定性计算应采用折线滑动面总应力法(图 B.0.3),按下列公式计算:

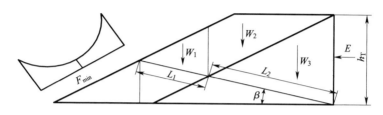

图 B.0.3 折线滑动面力系图

$$K = \frac{R}{E\cos\beta} \quad (B.0.3-1)$$

$$R = (W_1 + W_2 + W_3)\sin\beta + W_1\cos\beta\tan\phi_1 + \\ c_1 L_1 + (W_2 + W_3 + E\tan\beta)\cos\beta\tan\phi_2 + c_2 L_2 \quad (B.0.3-2)$$

$$E = \frac{1}{2}\xi\gamma_T h_T^2 \quad (B.0.3-3)$$

$$\xi = 1 - \sin\phi_2 \quad (B.0.3-4)$$

$$h_T = \lambda H \quad (B.0.3-5)$$

式中:K——边埝允许抗滑稳定安全系数;

E——泥浆水平推力,取 9.8×10^3 N;

β——滑动面与水平面的夹角(°);

W_1——滑动面 L_1 以上边埝土的重量(t);

W_2、W_3——滑动面 L_2 以上边埝土与冲填土的重量(t);

ϕ_1、c_1——边埝的总强度指标;

ϕ_2、c_2——冲填土的总强度指标;

L_1、L_2——通过边埝及冲填土的滑动面的长度(m);

ξ——泥浆侧压力系数,可按公式(B.0.3-4)计算,也可采用经验值 0.8~1.0;

γ_T——计算深度范围内的泥浆平均容重(t/m^3);

h_T——计算深度(m);采用试算确定,对黄土、类黄土按流态区深度计算,也可按经验公式(B.0.3-5)计算;

λ——系数,可按表 B.0.3-2 的规定确定;

H——计算坝高(m)。

表 B.0.3-2 系数 λ

冲填速度 $V(m/d)$	渗透系数 $k(\times 10^{-6} cm/s)$								
	1	2	4	6	8	10	12	14	16
0.1	0.92	0.75	0.50	0.34	0.25	0.20	0.16	0.13	0.11
0.2	0.95	0.83	0.67	0.54	0.44	0.35	0.28	0.21	0.15
0.3	0.97	0.85	0.74	0.63	0.53	0.44	0.36	0.28	0.20

注:1 适用于透水地基,对不透水地基,表中数值可提高 50%;
    2 k 为初期渗透系数,即指冲填土在 $0.1kg/cm^2$ 荷重下固结试样的渗透系数。

B.0.4 采用浆砌石(混凝土或钢筋混凝土)等材料的拦挡建筑物应进行抗滑稳定、抗倾覆稳定计算,并应对基底应力进行校核。稳定计算应按现行行业标准《砌石坝设计规范》SL 25 的有关规定执行。

附录 C 工程扰动土地主要适宜树(草)种表

表 C 工程扰动土地主要适宜树(草)种表

区域或植被类型区	耐旱	耐水湿	耐盐碱	沙化(北方及沿海)、石漠化(西南)
东北	辽东栎木、蒙古栎、黑桦、白榆、山杨、胡枝子、山杏、文冠果、锦鸡儿、枸杞;狗牙根、紫花苜蓿、爬山虎[a]	兴安落叶松、偃松、红皮云杉、柳、白桦、榆树	青杨、樟子松、榆树、红皮云杉、红瑞木、火炬树、丁香、旱柳;紫穗槐、枸杞;芨芨草、羊草、冰草、沙打旺、紫花苜蓿、碱茅、鹅冠草、野豌豆	樟子松、大叶速生槐、花棒、杨柴、柠条锦鸡儿、小叶锦鸡儿;沙打旺、草木樨、芨芨草
三北	侧柏、枸杞、柠条、沙棘、梭梭、柽柳、胡杨、花棒、杨柴、胡枝子、沙柳、沙拐枣、黄柳、樟子松、文冠果、沙蒿;高羊茅、野牛草、紫苜蓿、紫羊茅、黄花菜、无芒雀麦、沙米、爬山虎[a]	柳树、柽柳、沙棘、胡杨、香椿、臭椿、旱柳	柽柳、旱柳、沙拐枣、银水牛果、胡杨、梭梭、柠条、紫穗槐、枸杞、白刺、沙枣、盐爪爪、四翅滨藜;芨芨草、盐蒿、芦苇、碱茅、苏丹草	樟子松、柠条、沙棘、沙木蓼、花棒、踏郎、梭梭霸王;沙打旺、草木樨、芨芨草

续表 C

区域或植被类型区	耐旱	耐水湿	耐盐碱	沙化(北方及沿海)、石漠化(西南)
黄河流域	侧柏、柠条、沙棘、旱柳、柽柳、爬山虎[a]	柳树、柽柳、沙棘、旱柳、刺柏	柽柳、四翅滨藜、柠条、沙棘、沙枣、盐爪爪	侧柏、刺槐、杨树、沙棘、柠条、柽柳、杞柳;沙打旺、草木樨
北方	侧柏、油松、刺槐、青杨;伏地肤、沙棘、柠条、枸杞、爬山虎[a]	柳树、柽柳、沙棘、旱柳、构树、杜梨、垂柳、钻天杨、红皮云杉	柽柳、四翅滨藜、银水牛果;伏地肤、紫穗槐	樟子松、旱柳、荆条、紫穗槐;草木樨
长江流域	侧柏、马尾松、野鸭椿、白皮松、木荷、沙地柏多变小冠花、金银花[a]、爬山虎[a]	柳树、水杉、池杉、落羽杉、冷杉、红豆杉、芒草	南林895杨、乌桕、落羽杉、墨西哥落羽杉、中山杉;双穗雀稗、香根草、芦竹、杂三叶草	南林895杨、马尾松、云南松、干香柏、苦刺花、蔓荆;印尼豇豆
南方	侧柏、马尾松、黄荆、油茶、青檀、香花槐、藜蒴、桑树、杨梅;黄栀子、山毛豆、桃金娘、假俭草、百喜草、狗牙根、糖蜜草、铁线莲[a]、爬山虎[a]、五叶地锦[a]、鸡血藤[a]	水杉、池杉、落羽杉、樟树、木麻黄、水翁、湿地松、榕树、大叶桉;铺地黎、芒草	木麻黄、南洋杉、柽柳、红树、椰子树、棕榈;苇状羊茅、苏丹草	球花石楠、干香柏、旱冬瓜、云南松、木荷、黄连木、清香木、火棘、化香常绿假丁香、苦刺花、降香黄檀;任豆、象草、香根草、五叶地锦[a]、常春油麻藤[a]

156

续表 C

区域或植被类型区	耐旱	耐水湿	耐盐碱	沙化(北方及沿海)、石漠化(西南)
热带	榆绿木、大叶相思、多花木兰、木豆、山楂、澜沧栎;假俭草、百喜草、狗牙根、糖蜜草、爬山虎[a]、五叶地锦[a]	青梅、枫杨、水杉、喜树、长叶竹柏、长蕊木兰、长柄双花木	木麻黄、柽柳、红树、椰子树、棕榈	砂糖椰、紫花泡桐、直干桉、任豆、顶果木、枫香、柚木

注:a 为攀缘植物。

本规范用词说明

1 为便于在执行本规范条文时区别对待,对要求严格程度不同的用词说明如下:
  1)表示很严格,非这样做不可的:
    正面词采用"必须",反面词采用"严禁";
  2)表示严格,在正常情况下均应这样做的:
    正面词采用"应",反面词采用"不应"或"不得";
  3)表示允许稍有选择,在条件许可时首先应这样做的:
    正面词采用"宜",反面词采用"不宜";
  4)表示有选择,在一定条件下可以这样做的,采用"可"。
2 条文中指明应按其他有关标准执行的写法为:"应符合……的规定"或"应按……执行"。

引用标准名录

《堤防工程设计规范》GB 50286
《灌溉与排水工程设计规范》GB 50288
《开发建设项目水土保持技术规范》GB 50433
《主要造林树种苗木质量分级》GB 6000
《造林技术规程》GB/T 15776
《水土保持综合治理　技术规范》GB/T 16453
《生态公益林建设　导则》GB/T 18337.1
《生态公益林建设　技术规程》GB/T 18337.3
《雨水集蓄利用工程技术规范》GB/T 50596
《砌石坝设计规范》SL 25
《水利水电工程设计洪水计算规范》SL 44
《碾压式土石坝设计规范》SL 274
《水坠坝技术规范》SL 302
《水利水电工程施工组织设计规范》SL 303
《岩溶地区水土流失综合治理规范》SL 461
《火力发电厂水工设计规范》DL/T 5339
《林业苗圃工程设计规范》LYJ 128

中华人民共和国国家标准

水土保持工程设计规范

GB 51018-2014

条 文 说 明

制 订 说 明

《水土保持工程设计规范》GB 51018—2014，经住房和城乡建设部 2014 年 12 月 2 日以第 589 号公告批准发布。

本规范在制订过程中，编制组进行了梯田工程、崩岗治理、拦沙坝、淤弃渣场选址与防护等的调查研究，总结了我国水土保持生态建设工程设计以及生产建设项目弃渣场选址、拦挡工程、植被恢复与建设等设计施工的实践经验，并就水土保持工程级别划分和设计标准组织了专题讨论，相关调研成果纳入了本规范。

为便于广大设计、施工、科研、学校等单位有关人员在使用本规范时能正确理解和执行条文规定，《水土保持工程设计规范》编制组按章、节、条顺序编制了本规范的条文说明，对条文规定的目的、依据以及执行中需注意的有关事项进行了说明，并着重对强制性条文的强制性理由做了解释。但是，本条文说明不具备与规范正文同等的法律效力，仅供使用者作为理解和把握规范规定的参考。

目　次

- 1 总　则 ……………………………………………………… (169)
- 3 基本规定 …………………………………………………… (170)
- 4 水土流失综合治理工程总体布置 ………………………… (171)
  - 4.1 一般规定 ……………………………………………… (171)
  - 4.2 分区基本要求 ………………………………………… (171)
- 5 工程级别划分和设计标准 ………………………………… (174)
  - 5.1 梯田工程 ……………………………………………… (174)
  - 5.2 淤地坝工程 …………………………………………… (174)
  - 5.3 拦沙坝工程 …………………………………………… (176)
  - 5.5 沟道滩岸防护工程 …………………………………… (176)
  - 5.6 坡面截排水工程 ……………………………………… (176)
  - 5.7 弃渣场及拦挡工程 …………………………………… (177)
  - 5.8 土地整治工程 ………………………………………… (177)
  - 5.9 支毛沟治理工程 ……………………………………… (177)
  - 5.10 固沙工程 …………………………………………… (177)
  - 5.11 林草工程 …………………………………………… (178)
- 6 梯田工程 …………………………………………………… (179)
  - 6.1 一般规定 ……………………………………………… (179)
  - 6.2 断面设计 ……………………………………………… (180)
  - 6.3 埂坎植物设计 ………………………………………… (183)
- 7 淤地坝工程 ………………………………………………… (184)
  - 7.1 一般规定 ……………………………………………… (184)
  - 7.2 坝址、坝型和工程布置 ……………………………… (184)
  - 7.3 坝体设计 ……………………………………………… (185)

8 拦沙坝工程 …………………………………………… (186)
　8.1 一般规定 ………………………………………… (186)
　8.2 工程布置 ………………………………………… (186)
　8.3 坝址坝型选择 …………………………………… (186)
　8.4 规模确定 ………………………………………… (186)
　8.5 坝体设计 ………………………………………… (186)

9 塘坝和滚水坝工程 …………………………………… (187)
　9.2 工程布置 ………………………………………… (187)
　9.3 坝址坝型选择 …………………………………… (187)
　9.4 规模确定 ………………………………………… (187)
　9.5 坝体设计 ………………………………………… (188)
　9.7 地基及岸坡处理 ………………………………… (189)

10 沟道滩岸防护工程 ………………………………… (190)
　10.1 护地堤布置 …………………………………… (190)
　10.2 丁坝、顺坝布置 ……………………………… (190)
　10.4 护地堤堤身结构型式 ………………………… (190)
　10.6 生态护岸型式 ………………………………… (191)

11 坡面截排水工程 …………………………………… (192)
　11.1 一般规定 ……………………………………… (192)
　11.2 工程布置 ……………………………………… (192)
　11.3 截水沟设计 …………………………………… (193)
　11.4 排水沟设计 …………………………………… (193)
　11.5 截流沟设计 …………………………………… (194)
　11.6 地下排水工程设计 …………………………… (194)

12 弃渣场及拦挡工程 ………………………………… (195)
　12.1 一般规定 ……………………………………… (195)
　12.2 弃渣场设计 …………………………………… (195)
　12.3 拦挡工程设计 ………………………………… (197)

13 土地整治工程 ……………………………………… (198)

- 13.1 引洪漫地 ……………………………………………… (198)
- 13.2 引水拉沙造地 ………………………………………… (200)
- 13.3 生产建设项目土地整治 ……………………………… (201)

14 支毛沟治理工程 ……………………………………… (203)
- 14.1 一般规定 ……………………………………………… (203)
- 14.2 工程布置 ……………………………………………… (203)
- 14.3 沟头防护设计 ………………………………………… (204)
- 14.4 谷坊设计 ……………………………………………… (204)
- 14.5 埝带设计 ……………………………………………… (205)
- 14.6 削坡设计 ……………………………………………… (205)
- 14.7 秸秆填沟设计 ………………………………………… (206)

15 小型蓄水工程 ………………………………………… (208)
- 15.1 一般规定 ……………………………………………… (208)
- 15.2 工程布置 ……………………………………………… (208)
- 15.3 水窖设计 ……………………………………………… (208)
- 15.4 蓄水池设计 …………………………………………… (209)
- 15.6 涝池设计 ……………………………………………… (210)

16 农业耕作措施 ………………………………………… (211)
- 16.1 一般规定 ……………………………………………… (211)
- 16.2 改变微地形措施 ……………………………………… (211)
- 16.3 覆盖措施 ……………………………………………… (214)
- 16.4 改良土壤措施 ………………………………………… (215)

17 固沙工程 ……………………………………………… (216)
- 17.1 一般规定 ……………………………………………… (216)
- 17.2 防风固沙带设计 ……………………………………… (217)
- 17.3 防风固沙措施设计 …………………………………… (218)

18 林草工程 ……………………………………………… (220)
- 18.1 一般规定 ……………………………………………… (220)
- 18.5 造林整地 ……………………………………………… (220)

18.7 其他规定 …………………………………………… (223)
18.8 配套工程 …………………………………………… (227)
18.9 工程施工 …………………………………………… (227)
19 封育工程 ……………………………………………… (228)
19.2 封育设计 …………………………………………… (228)
附录A 水文计算 ………………………………………… (230)

1 总 则

1.0.2 经过60多年水土流失综合治理实践,水土保持工程设计内容和深度已通过水土保持项目建议书、可行研究报告、初步设计报告编制规程和开发建设项目水土保持技术规范等得以明确。水土保持工程类型涉及面广,如泥石流防治、滑坡治理、边坡防护等工程设计标准和规范已经颁布。本条适用范围是根据当前生产需求和其他标准的制定使用情况确定的。

1.0.4 水土保持工程的类别比较繁杂,除了本规范予以规定的有关水土保持工程外,有些工程可参照相关规范执行,故作本条规定。如降水入渗工程设计可按现行国家标准《建筑与小区雨水利用工程技术规范》GB 50400、《雨水集蓄利用工程技术规范》GB/T 50596 的有关规定执行,水土保持监测设施设计可按现行行业标准《水土保持监测技术规程》SL 277 的有关规定执行,泥石流灾害防治工程设计按现行行业标准《泥石流灾害防治工程设计规范》DZ/T 0239 的有关规定执行,滑坡防治工程设计按国家现行标准《建筑地基基础设计规范》GB 50007、《滑坡防治工程设计与施工技术规范》DZ/T 0219 等的有关规定执行;土地整治工程涉及土地质量标准的,可按国土行业有关标准和规定执行。

3 基本规定

3.0.1 水土流失综合治理工程设计因我国地域差异大而显得多样繁杂,因此水土保持工程设计需针对所在区域的小流域(或片区)特点,根据自然条件和社会经济需求,在土地利用结构调整的基础上进行总体布置,而后进行各项措施的设计。

即使是同类水土保持措施,不同区域也会有较大差异,需因地制宜进行设计。

水土保持的根本任务是水土资源的保护、合理利用与开发。在山区丘陵区,特别是贫困地区,应把解决农村生产生活问题放在重要位置,单纯地强调生态保护和水土流失治理是难以实施的。

3.0.2 经过近15年的生产建设项目水土保持工程设计与建设的实践,"保护优先、注重生态、强化工程设计与生态的协调与融合"的水土保持设计理念已成共识,故规定此条。

3.0.3 生产建设项目水土保持因涉及行业众多,难以形成统一的设计规定。设计中总体布局应根据现行国家标准《开发建设项目水土保持技术规范》GB 50433的有关规定,再结合具体行业的技术规范确定。

3.0.5 本规范虽规定了水土保持工程的级别划分和设计标准,应用时还应充分考虑各项措施间相互影响和作用。如一个小流域实施沟坡兼治措施,在布设沟道治理工程时,受坡面治理工程的影响,沟道水沙条件就会相应发生变化,从而影响沟道治理工程的规模。因此,水土保持工程的级别划分和设计标准应在确定总体布置(局)后,遵循"安全可靠、经济合理"原则,根据具体情况合理确定。

4 水土流失综合治理工程总体布置

4.1 一般规定

4.1.1 以小流域为单元实施水土流失综合治理,是60余年来我国水土保持治理经验的总结。以小流域为单元的水土流失综合治理总体布置是各项水土保持工程设计的前提。设计要以统筹兼顾各方面因素,使各项措施发挥整体功能为准则。

4.1.2 梯田工程是山区、丘陵区小流域水土流失综合治理总体布置的重要环节。实践证明,一般北方土石山区、黄土高原地区保证人均2亩水平旱田(包括旱平地和水平梯田)或1亩水浇地,南方和西南地区保证人均约1亩水平旱田(包括旱平地和水平梯田)或0.5亩水浇地,有此基础才能考虑退耕还林还草和进行其他水土保持措施的配置。

4.2 分区基本要求

本节所指分区是指全国水土保持区划中的一级区,在实际应用中应在三级区的基础上,充分考虑其水土保持主导功能,并根据分区防治途径及技术体系,结合实际情况进行必要的再分区后开展总体配置。

4.2.1 东北黑土区是我国重要的商品粮基地,其工程总体配置应紧紧围绕黑土资源和耕地的保护;另外,该区坡耕地坡度小、坡长大,适宜农业机械化作业,措施配置及设计应充分考虑此因素。

4.2.2 黄土高原区特别是黄河中游地区是黄河主要泥沙策源地。水土保持工作不仅要考虑当地农业生产,还应与黄河减沙紧密联系,重点做好淤地坝建设工作。该区域矿产资源丰富,随着区域经济发展,生态建设与保护需求不断增加,林草植被恢复情况良好,配置封育措施显得十分重要。

4.2.3 北方风沙区水土保持工作重点是水蚀风蚀交错区、草场以及绿洲农业区。该区降水量小,总体配置需充分考虑水分条件,配套必要的灌溉设施。250mm 降水等值线是农业气象中干旱半干旱区的分界线。降水量 250mm 以下地区除灌溉配套外,很难从事旱作农业。

4.2.4 北方土石山区特别是太行山燕山地区,是华北平原诸多城市的水源地。合理配置坡改梯、林草措施、面源污染控制措施,将小流域综合治理与中小河流治理、农村清洁工程结合起来,建设清洁小流域显得尤为重要。

4.2.5 西南岩溶地区因地势陡峻,基岩以石灰岩为主,地表水沿节理下渗形成地下岩溶水,耕地常缺水干旱,深切沟道多地下水出露,难以利用,通过塘坝、滚水坝及配套小型抽水泵站引水上山,或采取小型蓄水池收集利用地表径流进行补灌。岩溶地区成土速率很小,地表土层薄,不断冲刷、随地表径流下渗淋移,导致耕地灰岩呈分散状出露,可耕种面积减少。因此通过坡改梯及配套措施增加可耕种面积,将坡改梯与地表水利用结合起来是提高水土资源高效利用效率的十分重要的途径。

4.2.6 西南紫色土区虽然在措施配置上与岩溶地区有相似之处,但因地势相对较缓,基岩多为砂页岩、花岗岩,表层土相对较厚,且该区域人口密度大、人均耕地少,因此通过坡改梯田及坡面水系工程,提高土地生产力,建设经济林果和高效复合农林业,加速产业化发展,增加农民收入十分重要。

4.2.7 南方红壤区区域人口密度大、人均耕地不足,区域治理中坡改梯田及坡面水系工程仍然是重点。由于降水量大,坡面水系工程应以排水型为主,局部地区干旱缺水的应视实际情况适当配置小型蓄水工程。崩岗治理、风化侵蚀劣地和园地林地水土流失是该区域治理的难点和重点。前者应工程植物相结合,后者则以植物措施为主,并采取有效的水蚀和沟蚀治理措施。

4.2.8 青藏高原区人口密度小，耕地集中在河谷地带，草场为高山草地，戈壁和裸岩面积大，山洪灾害频发。草场及河谷农业区水土保持是工作重点，对于影响河谷农业生产和村庄安全的山洪灾害沟道应重点治理，保障安全。

5 工程级别划分和设计标准

5.1 梯田工程

5.1.1、5.1.2 Ⅰ区地面坡度较陡、地面组成物质以土石为主、土层覆盖较薄，Ⅱ区地面坡度相对较缓、地面组成物质以土石为主、土层覆盖相对较厚。分区采用全国区划方案。

级别划分中面积指标是指一个设计单元的面积，选择确定设计单元时，应保证同一设计单元的设计标准基本一致。

当地面坡度一致时，净田面宽和田坎高度均为确定梯田设计标准的主要因素，由于净田面宽受区域环境影响较大，同时净田面宽和田坎高度存在函数关系，因此确定净田面宽为主要设计指标。

5.2 淤地坝工程

5.2.1、5.2.2 在现行国家标准《水土保持综合治理 技术规范》GB/T 16453 中对淤地坝工程等级划分未做明确规定，在现行行业标准《水土保持治沟骨干工程技术规范》SL 289 中，淤地坝等级划分按现行行业标准《水利水电工程等级划分及洪水标准》SL 252 参照执行，详见表1，虽然五十万方以上的淤地坝工程等级相当于水利水电工程五等、四等工程，但实际设计和施工水平远达不到同等级别水利水电工程的要求。我国的淤地坝历史悠久，经过近几十年的探索、实践，其设计、施工及管理运行已形成一套完整且成熟的体系。经调查，黄土高原淤地坝工程以小流域坝系建设为前提，大、中、小各类淤地坝在干、支、毛沟内合理布设，联合运用，调洪削峰，层层防御，在其特有的淤地坝坝系运行模式下，工程是安全可靠的。为了便于淤地坝工程健康良性发展，方便技术人员进行设计、施工及管理，本规范对水土保持淤地坝工程重新进行了等级划分。考虑历史沿革情况和行业标准，根据淤地坝工程的运用特点，以库容规模作为分等指标。根据库容的大小确定工程等别为Ⅰ、Ⅱ、Ⅲ三等，建筑物级别为1、2、3、4四级。

表1 骨干坝等级划分及设计标准

工 程 等 别		五	四
总库容（$10^4 m^3$）		50～100	100～500
建筑物级别	主要建筑物	5	4
	次要建筑物	5	5
洪水重现期(a)	设计	20～30	30～50
	校核	200～300	300～500
设计淤积年限(a)		10～20	20～30

淤地坝工程建筑物的级别反映了对建筑物的不同技术要求和安全要求，它根据所属工程的等别及其在工程中的作用和重要性确定。淤地坝工程主要建筑物指失事后将造成下游灾害和严重影响工程效益的建筑物，如坝体、放水建筑物、溢洪道等；次要建筑物指失事后不致造成下游灾害或对工程效益影响不大并易于修复的建筑物，如挡土墙、护岸等。临时性建筑物指工程施工期间使用的建筑物，如导流建筑物、施工围堰等。小型淤地坝无临时性建筑物，不设建筑物级别。

5.2.5 近年来，水土保持工程在坝坡稳定计算中积累了丰富的经验，参照现行行业标准《碾压式土石坝设计规范》SL 274，淤地坝工程沿用简化毕肖普法或瑞典圆弧法计算坝坡稳定。坝坡稳定系数见表5.2.5，经过对现行行业标准《水电枢纽工程等级划分及设计安全标准》DL 5180及《碾压式土石坝设计规范》SL 274中水利工程已较成熟的坝坡稳定计算进行分析，根据库容规模和设计标准，淤地坝工程Ⅰ等工程对应的1级、2级主要建筑物相当于水利水电工程碾压式土石坝的四等、五等工程和4级、5级主要建筑物，取其相同的稳定系数1.25和1.15，Ⅱ等、Ⅲ等淤地坝对应的3级、4级主要建筑物稳定系数分别取1.20和1.10。

根据现行行业标准《水工建筑物抗震设计规范》SL 203,场地地震基本烈度 7 度以下地区布设淤地坝工程,可不进行抗震计算。

5.3 拦沙坝工程

5.3.3 根据当地条件,拦沙坝多采用土石坝、重力坝(包括混凝土重力坝和浆砌石重力坝)两种坝型,其他型式建筑物可参考挡土墙或同类建筑物型式进行稳定计算。

5.5 沟道滩岸防护工程

5.5.1 沟道滩岸防护工程是为保护防护对象的防洪安全而修建的,其自身并无特殊的防洪要求,沟道滩岸防护工程的防洪标准由防护对象的防洪标准确定。

本规范适用于流域面积在 $50km^2$ 以下的小流域,当流域面积不小于 $50km^2$ 时,按现行国家标准《堤防工程设计规范》GB 50286 执行。

5.5.2 护地堤的级别根据防护对象的要求确定。护地堤大部分是土堤,加高、加固相对比较容易,而水闸、涵洞、泵站等建筑物及其他构筑物一般为钢筋混凝土、混凝土或浆砌石结构,加高、改建比较困难;护地堤与建筑物的结合部在洪水通过时易出现险情,引起溃决,因此本条对这些建筑物的设计防洪标准提出了较高的要求。

5.5.3~5.5.5 护地堤在设计中需要对安全留有裕度,所以规定了安全系数。本规范规定的护地堤的安全系数与现行国家标准《堤防工程设计规范》GB 50286 中 5 级堤防一致。

5.6 坡面截排水工程

5.6.1 坡面截排水工程的主要任务是保护山坡坡面和梯田。保护山坡坡面时,按山坡平均坡度来确定工程级别,坡度越大,坡面径流流速越大,对山坡的冲刷也越大,所以工程级别越高。保护梯田时,根据保护梯田的工程等级来确定工程级别,与保护梯田保持一致。

5.6.2 坡面截排水工程的洪水标准取 3 年一遇～10 年一遇,由于山区、丘陵区地形坡度大,降雨后短时间可形成洪峰,平原区地形平坦,形成洪峰的时间较长,因此各地根据具体情况选择短历时暴雨时。永久排水沟岸顶超高 0.2m～0.4m,临时排水沟岸顶超高 0.1m～0.3m,根据工程级别的高低来确定,级别高的取上限,级别低的取下限。

5.7 弃渣场及拦挡工程

5.7.1 本规范弃渣只针对生产建设项目的工程弃渣。

5.8 土地整治工程

5.8.1 当淤漫面积大于 20hm² 时,由于面积大,涉及的因素较多,其洪水设计洪水标准应经论证确定。

5.9 支毛沟治理工程

5.9.1 现行国家标准《水土保持综合治理 技术规范》GB/T 16453 规定,沟头防护工程的防御标准是 10 年一遇 3h～6h 最大降水。根据本规范编制小组讨论和研究,沟头防护工程排水设计标准宜取 3 年一遇～5 年一遇 3h～6h 最大降水,设计中根据各地情况选取。

5.9.2 现行国家标准《水土保持综合治理 技术规范》GB/T 16453 规定,谷坊工程的防御标准为 10 年一遇～20 年一遇 3h～6h 最大降水。根据本规范编制小组讨论和研究,谷坊工程溢流口设计宜满足 3 年一遇～5 年一遇 3h～6h 最大降水过流要求,设计中根据各地情况选取。

5.10 固沙工程

5.10.1 风沙危害程度分为严重、中等、轻度三级。

严重危害：土壤侵蚀强度为剧烈，单位断面年输沙量不小于 $10m^3/m$。

中等危害：土壤侵蚀强度为极强烈、强烈，单位断面年输沙量 $5m^3/m \sim 10m^3/m$。

轻度危害：土壤侵蚀强度为中度以下，单位断面年输沙量不大于 $5m^3/m$。

以上土壤侵蚀强度划分依据现行行业标准《土壤侵蚀分类分级标准》SL 190 的规定。

输水（灌溉）渠道的防风固沙工程级别在现行行业标准《水利水电水土保持技术规范》SL 575 中已作出规定。

5.11 林草工程

5.11.2 果园是指水土保持综合治理中，土地平整后在池台田上栽种果树的区域。

经济林栽培园是指水土保持综合治理中，土地平整后在池台田上栽植经济林树种，以经济目标为主的区域，经济林参考退耕还林工程，生态林与经济林认定按现行行业标准《退耕还林工程生态林与经济林认定技术规范》LY/T 1761 执行。

刈割草场是指水土保持综合治理中，土地平整后栽植牧草、定期收割的，以经营为目的的区域。

规模化经营是指在具有生产功能的林草工程中，需配备灌溉、施肥、管理等措施，通过生产经营的规模扩大而使单位成本降低、经济效益提高的行为。

规模化集约经营是指在具有生产功能的林草工程中，需配备高科技水平的灌溉、施肥、管理等措施，通过经营要素质量的提高、要素含量的增加、要素投入的集中以及要素组合方式的调整来提高经济效益的经营方式。

6 梯 田 工 程

6.1 一 般 规 定

6.1.1 梯田设计应根据项目区降水条件配套水利设施。南方降水量较大地区,为防止径流冲刷梯田,应修建小型蓄排设施;北方降水量较少地区,宜修建涝池、水窖等小型蓄水设施。当梯田区上部有坡耕地或荒地时,需要设计截排水设施,拦截径流,避免对梯田区冲刷。

6.1.2 梯田布置时应尽量选择距村庄较近、交通较便利区域,便于管理,同时可以充分发挥梯田的生产效益,提高土地产出率。

6.1.3 按田坎建筑材料划分,还有织物袋坎式梯田、空心砖坎式梯田等,由于这些建筑形式较少,不再一一列举,其田面及田坎的设计可参考土坎梯田或石坎梯田设计。

6.1.4 梯田选型应结合项目区地形地貌、土壤质地、土层厚度、建材情况及经济条件进行统筹考虑。同时要根据区域耕地条件,对于人均耕地较少的区域宜修建水平梯田,以提高土地利用率;人均耕地较多、降水量较少的地区可修建隔坡梯田,保护现有植被增加降水入渗,提高土地生产力。

土石山区选型应符合下列要求:
(1)以水平梯田为主,并配以坡面水系工程,发展节水灌溉;
(2)石料较充足、抗风化能力强、稳定性好的地区,宜修石坎梯田,高度控制在 2.5m 以内。石料短缺、土料质地较好、抗剪强度高的地区,宜修土坎(混凝土预制件等)梯田,高度控制在 2.0m 以内,土坎要人工夯实;
(3)土石山区梯田,要按径流调控理论,修建分流工程,包括截

水沟、排洪沟、灌溉渠等,集流工程有水窖、蓄水池、山塘及沉沙池等,防御性工程包括沟道建谷坊、拦沙坝等;

(4)具备条件的地区,梯田工程应开展埂坎保护与利用,并优先考虑植物防护措施。

6.2 断面设计

6.2.1 本条说明如下:

1 石坎梯田田面净宽主要受土层厚度制约,在条件允许的情况下,可采取调运客土加大田面净宽。

3 混凝土坎一般采用"柱-板"式结构,为混凝土立柱与矩形横板嵌合而成,立柱后部与锚杆铰接。梯田田坎高度小于1.2m时,混凝土构件每套由1个立柱、2个横板和1个锚杆组成,其断面和组装详见图1和图2。

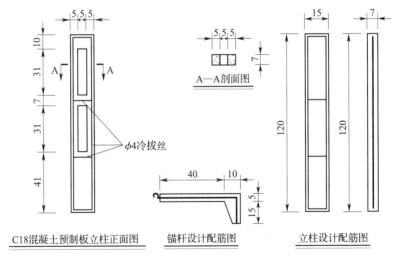

图1 1.2m以下田坎立柱和锚杆设计图

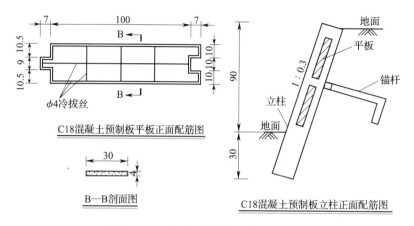

图 2　1.2m 以下田坎横板设计及组装图

当梯田高度大于 1.5m 时，混凝土构件每套由 1 个立柱、3 个横板和 1 个锚杆组成。其断面和组装详见图 3 和图 4。

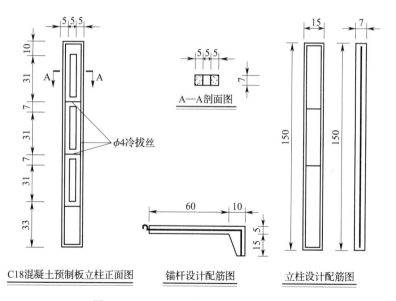

图 3　1.5m 以上田坎立柱和锚杆设计图

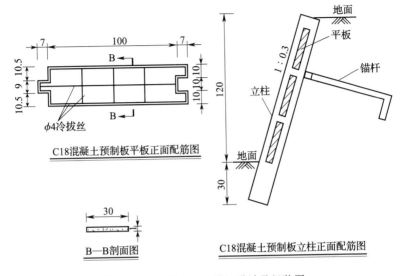

图 4　1.5m 以上田坎横板设计及组装图

6.2.2 坡式梯田设计时,沟埂的基本形式应采取埂在上、沟在下,从埂下方开沟取土,在沟上方筑埂,以有利于通过逐年加高土埂,使田面坡度不断减缓最终变成水平梯田。考虑坡式梯田经逐年加高、最终建设成水平梯田的断面,确定沟埂间距可参考当地水平梯田断面设计的 B_x 值。

坡式梯田仅计算等高埂工程量。

6.2.3 隔坡梯田是保持自然植被的坡地与水平梯田上下相间而组合的梯田,适用于干旱缺水、坡度为 15°～20° 的丘陵山区,既可以拦蓄利用隔坡产生的径流,改善水平田面的水分条件,又可以保留隔坡的天然植被。隔坡径流和泥沙量的计算应采用当地径流小区观测数据,没有数据的可利用当地水文手册等相关资料进行估算。

隔坡梯田工程量计算参见水平梯田,扣去其中坡面部分,仅计算水平田面部分工程量。

6.3 埂坎植物设计

6.3.1 梯田埂坎植物种植的目的就是充分利用埂坎,提高土地利用率;防止梯田地坎(埂)冲蚀破坏,改善耕地的小气候条件;同时,通过选择配置有经济价值的树种,可增加农民收入,发展山区经济。对埂坎植物串根萌蘖、遮荫及争肥争水等胁地作用,应采取措施防范。

6.3.2、6.3.3 总结全国各地实践经验,埂坎植物均为有经济价值的树种和草种,北方如柿、核桃、枣、花椒、金银花、黄花菜等,南方如银杏、板栗、桑、茶等。

7 淤地坝工程

7.1 一般规定

7.1.1～7.1.4 淤地坝按库容可分为大型淤地坝、中型淤地坝和小型淤地坝,大型淤地坝又分为1型淤地坝和2型淤地坝;淤地坝按筑坝施工方式可分为碾压坝、水坠坝、浆砌石坝;按筑坝材料可分为土坝、砌石坝、土石混合坝。

淤地坝工程以坝系建设为前提,各类淤地坝相互配合,联合运用,调洪削峰,有效减缓单坝的防洪压力;遭遇连续场次洪水时,淤地坝前期可利用淤积库容短时期积蓄洪水,缓解连续场次洪水造成的危险;无溢洪道的淤地坝工程在淤积库容淤满至50%时,应配套溢洪道设施。

7.1.5 近年来,由于全球气候变化影响,我国北方地区呈现局地和点暴雨频发、泥石流时有发生、因灾损失加大的趋势。为了适应当前淤地坝工程建设的新形势、新要求和新任务,树立"安全第一"意识,本规范就淤地坝工程运行要求作了强制性规定,以提高淤地坝工程建设的安全性。

淤地坝工程放水建筑物按4d～7d泄完设计频率一次洪水总量或者3d～5d泄完10年一遇洪水总量设计,严禁淤地坝长时间(超过7天)蓄水运行,否则其设计应执行有关水利工程设计规范的规定。

7.2 坝址、坝型和工程布置

7.2.1 坝体设计时应对筑坝材料进行调查和试验,查明其储量、分布、开采条件、运距及物理力学性质,作为坝型选择、坝体断面设计和确定施工方法的主要依据。

7.3 坝 体 设 计

7.3.1 碾压填筑坝体压实系数应达到设计要求。坝体设计压实系数具体确定时,应进行必要的试验,或参考相似工程的经验,并在施工过程中校核与修正。砌石坝的砌石强度应按现行行业标准《砌石坝设计规范》SL 25 的有关规定确定。筑坝土石料调查和土工试验可按现行有关规定执行。

7.3.7 坝坡坡比的取值规定,是在总结黄土高原地区几十年来淤地坝建设的经验教训,对不同土质、不同坝高的均质坝经稳定计算后确定的。当采用沙壤土筑坝,可参照已建坝的经验初步确定坡比,最终应经稳定计算确定。

7.3.12 棱式反滤体可以降低坝体浸润线,防止坝坡土的渗透破坏和冻胀,增加坝坡稳定性,是一种常用的排水形式,但需要的块石较多,造价较高,且与坝体施工有干扰,检修较困难。适用于较高的坝或石料较多的地区的坝。

斜卧式排水体可防止坝坡土发生渗透破坏,保护坝坡免受下游波浪淘刷,与坝体施工干扰较小,易于检修,但不能有效降低浸润线。

7.3.13 本条规定了淤地坝工程的设计条件,其中非常运用条件下的"正常运用遭遇地震工况",适用于设计地震烈度超过 7 度的地区。

7.3.14～7.3.16 为防止坝坡被水冲刷和人为破坏,淤地坝在上游设计淤积高程以上坝坡和下游坝坡应设置护坡,一般采用植物护坡,结合坡面排水,其护坡效果良好,而且可美化环境;如条件许可,亦可根据工程运用情况,采用砌石护坡等形式。

8 拦沙坝工程

8.1 一般规定

8.1.2 若筑坝拦沙同时兼有蓄水功能,应按水利工程有关规范设计,不属本规范拦沙坝适用范围。

8.2 工程布置

8.2.1 拦沙坝建设应与小流域综合治理及发展特色经济作物等措施相结合,达到综合开发利用目的。

8.3 坝址坝型选择

8.3.4 根据已建工程统计,在南方崩岗地区拦沙坝大多采用土石坝坝型,其他土石山区拦沙坝多采用重力坝坝型。

8.4 规模确定

8.4.1 拦沙坝库容计算可根据实测的1∶2000或1∶1000库区地形图,分高程量算后进行累加求和。在未进行库区地形测量之前可采用1∶10000地形图进行估算。

8.5 坝体设计

8.5.1 拦泥坝高为拦泥高程与坝底高程(坝轴线底部最低点的高程)之差,滞洪坝高为校核(设计)洪水位与拦泥高程之差。如果泄水建筑物的泄流能力足够大,且调洪容积占洪水的总量较小,可不进行洪水调节计算,直接查泄水建筑物泄流能力曲线得到相应的滞洪水位。

9 塘坝和滚水坝工程

9.2 工程布置

9.2.1 本条说明如下：

2 溢洪道出口应采取消能措施，并使消能后的水流不淘刷坝脚。

3 放水建筑物进口应伸出坝体以外，出口水流应避免形成淹没流，还应采取消能设施并与下游水道衔接。

9.3 坝址坝型选择

9.3.1 塘坝坝址选择时应注意以下要求：

（1）坝址不宜选在深厚的强透水砂砾石层、岩溶发育地区、严重风化破碎的岩层、大的断层带以及软弱的地基上，如不能避开应采取处理措施，以确保工程安全可靠。

（2）选择坝址时，应考虑水库蓄水后不会在库区产生大的坍岸、滑坡。在丘陵和平原地区应避免浸没面积过大。

9.4 规模确定

9.4.1 塘坝各种库容和水位关系具体见图5。

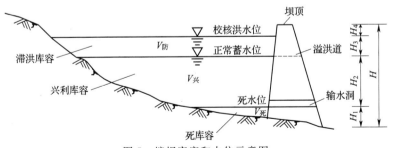

图5 塘坝库容和水位示意图

9.5 坝 体 设 计

9.5.1 塘坝坝体断面设计宜采用梯形,对于砌石坝等其他重力坝,上游坝面可为铅直面或斜面,斜面坡比可采用 1∶0.05～1∶0.2,下游坝坡应根据应力和稳定要求确定。对于土石坝,其坝坡应满足抗滑稳定的要求。土石坝常见坝体断面设计要素具体见表2。

表2 土石坝常见坝体断面要素表

坝高(m)	坝顶宽(m)	坡 比	
		迎水坡	背水坡
5～10	2.0～3.0	1∶2.5～1∶3.0	1∶2.0～1∶2.5
2～5	2.0～2.5	1∶2.0～1∶2.5	1∶1.5～1∶2.0
<2	1.5	1∶1.5～1∶2.0	1∶1.5

9.5.5 塘坝反滤层厚度根据材料的级配、料源、用途等确定。反滤层厚度计算方法见公式(1):

$$T = 5D_{85} \tag{1}$$

式中:T——反滤层最小允许厚度;

D_{85}——反滤料粒径,小于该粒径的土重占总土重的80%。

式(1)确定的 T 值一般均较小,在实际工程中,反滤层厚度可结合施工条件予以确定。

9.5.6 坝体排水设计应注意以下要求:

(1)当坝下游有水时,宜选用棱体排水型式,其顶部高程应超出下游最高水位 0.5m 以上,顶宽不宜小于 1.0m,内外坡可根据石料和施工情况确定,内坡可取 1∶1.0,外坡取 1∶1.5 或更缓。在寒冷地区,还需保证坝体浸润线与坝面的最小距离大于本地区的冻结深度。

(2)当坝下游无水时,宜选用褥垫排水型式,排水体伸入坝体内的长度可为坝底宽度的 1/3～1/4,厚度可按排除 2.0 倍入渗量确定,对易产生不均匀沉降的坝基应增加褥垫排水的厚度,在排水体的坝脚处,应设置与之相连通的纵向排水明沟,沟底面应低于褥垫排水的底面。在寒冷地区,应保证明沟冰层以下仍有足够的排水断面。

9.7 地基及岸坡处理

9.7.1 土石坝防渗体应与基岩面相接触,如基岩裂隙发育,应沿基岩与坝防渗体接触面设混凝土盖板、喷水泥砂浆或喷混凝土,将基岩与防渗体隔开,必要时应对基岩进行灌浆。

10 沟道滩岸防护工程

10.1 护地堤布置

10.1.1 护地堤堤线布置的原则与一般堤防布置原则基本一致，鉴于护地堤与田间道路、灌溉排水渠道可有条件结合，所以规定以上工程尽可能结合布置，以减少占地、降低工程造价。

10.2 丁坝、顺坝布置

10.2.1 防护长度指顺水流方向的长度。堤脚、滩岸在水流、风浪冲刷情况下易造成破坏，所以对这类堤岸需进行防护，以控制、调整水流、稳定岸线，保护护地堤和沟道滩岸的安全。

10.2.2 丁坝、顺坝布置应以治导线为依据，切忌根据局部塌岸孤立修建工程、不顾整体影响的做法。

10.2.4 丁坝间距的确定应遵循充分发挥每道丁坝的掩护作用，又使坝间不发生冲刷的原则，使下一道丁坝的壅水刚好达到上一道丁坝。

10.4 护地堤堤身结构型式

10.4.2 护地堤一般对渗流不做控制，除非渗流影响到护地堤的稳定才采取防渗、排水设施。

10.4.3 土堤的填筑标准与现行国家标准《堤防工程设计规范》GB 50286 的下限相同。

10.4.4 护地堤一般规模较小且缺乏必要的资料，所以不再计算波浪爬高和风壅增水高度，堤顶超高可根据类似工程经验选取并不得小于 0.5m，这是现行国家标准《堤防工程设计规范》GB 50286中5级堤防不允许越浪的安全超高值。

10.4.5、10.4.11 土堤的渗流及渗流稳定计算、抗滑稳定计算,防洪墙的抗倾、抗滑和地基整体稳定计算只考虑正常情况,不考虑非常情况。

10.6 生态护岸型式

10.6.1~10.6.3 生态护岸工程尚处于发展探索阶段,宜本着安全、生态和经济实用的原则,因地制宜选择不同型式,并进行必要的试验。

采用单一种植植被的护岸型式也称为自然原型护岸,主要采用根系发达的固土植物进行护岸。

采用石材、木材等天然材料与种植植被相结合的护岸型式也称为自然型护岸,为提高岸坡抗冲刷能力,水下部分采用抛石、干砌块石或打木桩等护脚措施,岸坡上乔灌草相结合,固堤护岸。

土工网垫固土种植,主要由网垫、种植土和草籽等组成;土工格栅固土种植,是利用土工格栅进行土体加固,并在边坡上植草固土;新型商品化生态护岸构件包括植被型生态混凝土、水泥生态种植基和多孔质结构护岸等。

11 坡面截排水工程

11.1 一般规定

11.1.1 由于南北自然条件差异较大,会造成各地蓄排要求不同,坡面截排水工程在各地的功能不同,所表现出的形式也不同。可根据所处空间、排蓄要求、主要功能等进行分类。

11.1.2 南方地区雨量充沛,一次性降雨量较大,降雨频繁,并且山高坡陡容易形成山洪灾害,因此坡面截排水工程以排为主。北方地区雨水稀少,水资源宝贵,坡面截排水工程以蓄为主。东北黑土区降水不均匀,坡面截排水工程可为蓄排型和全排型,在农业生产中,对不能利用的过多降水,应通过排水设施安全排放。对于土质黏重且排水不畅的耕地,可根据需要布设坡水暗排工程进行地下排水。

11.1.3 坡面截排水工程不是一个独立的工程,需与梯田、道路、沉沙蓄水工程等联合布置形成完整的系统,才能发挥最大作用。应根据当地地形条件,因地制宜、安全、高效地布设拦蓄工程。

11.2 工程布置

11.2.1 多蓄少排型坡面截排水工程采用蓄水型截水沟+排水沟+蓄水池的形式布置。截水沟沿等高线水平布设,截取坡面径流的同时还能蓄积雨水,截水沟蓄满后,不能容纳的地表径流通过排水沟排出。治理坡面的坡长过大时,可使用多级截水沟截短坡长。

11.2.2 少蓄多排型坡面截排水工程采用排水型截水沟+排水沟+蓄水池的形式布置。排水型截水沟区别于蓄水型截水沟的最大之处是与等高线之间有一定比降。排水型截水沟不能蓄水,因此少蓄多排型坡面截排水工程的蓄水功能基本靠配套的小型蓄水工程完成。

11.2.3 全排型坡面截排水工程采用排水型截水沟(截流沟)＋排水沟的形式布置。截排水沟的布置与少蓄多排型坡面截排水工程基本相同,无蓄水功能。

11.2.4 地下排水工程指地表水通过波纹管(花管)、鼠洞和排水沟由地下排出的排水系统。主要采用暗管＋鼠洞的形式,再配合地上排水工程(如排水明沟等)联合布置进行排水。组合方式有鼠洞＋明沟、鼠洞＋暗管＋明沟和暗管＋明沟三种类型。

暗管接纳通过地下渗流所汇集的田间土壤多余水分,并将其排出。土壤中的多余水分可以从暗管接头处或管壁滤水微孔渗入管内排走,起到控制地下水位、调节土壤水分、改善土壤理化性状的作用。

11.3 截水沟设计

11.3.1 蓄水型截水沟主要功能是蓄水,采用水平布置。排水型截水沟主要功能是排水,所以沿等高线取一定比降。

11.3.2 土质截水沟每隔一定距离布设一个小土挡以降低流速、减小冲刷。

11.3.5 坡面坡度不大时,截水沟采用梯形断面水力指标较优,但若坡度太大,采用梯形断面则边坡开挖较大,采用矩形断面可减小开挖量。

11.3.6、11.3.7 设计断面时,蓄水型截水沟采用蓄水能力满足一次产流量的方式进行计算,排水型截水沟与排水沟一样,采用过水能力满足设计频率洪峰流量的方式进行计算。

11.4 排水沟设计

11.4.2 排水沟进口要考虑顺接设施,导流墙可以汇集来水。

11.4.3 排水沟按无压均匀流进行设计计算,但在弯曲、连接处要考虑壅高和渐变。

11.5 截流沟设计

11.5.1～11.5.6 东北黑土区截流沟设计方式与排水型截水沟基本相似。

11.6 地下排水工程设计

11.6.1 地下排水工程中的鼠洞多用于东北黑土区,是由拖拉机牵动的鼠道犁在田面下黏土层中挤压或振击而成的排水孔道。鼠道犁有弹头状成孔器,鼠道犁构造及作业如图6所示。

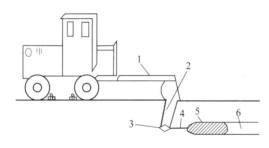

图 6 鼠道犁构造及作业示意图
1—犁架;2—犁刀;3—犁铧;4—钢丝绳;5—穿孔弹头;6—鼠道

12 弃渣场及拦挡工程

12.1 一般规定

12.1.3 本条给出了弃渣场及拦挡工程设计所需的基本资料,应用中应符合下列要求:

(1)弃渣场设计的地形测绘比例尺不小于1∶1000~1∶5000,测量范围应涵盖设计提供的弃渣场占地面积边缘以外(坑洼地边缘)50m,根据地形情况选择控制断面进行测量,断面间距30m~50m,并对场区周围的企业、村庄、河流、道路进行标示。

(2)拦渣工程、护坡工程等单项措施设计的地形测绘比例尺宜为1∶500~1∶2000,局部地段根据情况可适度放大。

(3)丘陵区、山区的1级、2级、3级弃渣场应进行详细勘察,详细勘察要求按现行国家标准《岩土工程勘察规范》GB 50021—2001第4.5节的规定执行,拦渣工程、护坡工程等构筑物的地质勘察按现行国家标准《水利水电工程地质勘察规范》GB 50487的有关规定执行。

(4)若弃渣组成和物理力学参数无法取样分析,需通过对弃渣物质组成的分析,并参考有关岩土物理力学参数估判获取。

12.2 弃渣场设计

12.2.2 本条第2款弃渣场选址是弃渣场设计的重要内容。近年来,生产建设项目中因弃渣场选址不当而导致渣场失稳垮塌、发生滑坡、引发泥石流等事故多有发生,已引起各方高度关注。因渣场事故对周边基础设施或群众生命财产安全造成了危害和损失,为规避弃渣场失稳造成的次生危害和影响,将本款列为强制性条款。

12.2.3 本条给出了弃渣堆置的有关要求。

(1)松散系数参考了《有色冶金企业总图运输设计参考资料》(冶金工业出版社,1981)中的相关数据,按初始松散系数除以沉降系数,并结合水利工程施工中的相关数据确定。弃渣场沉降系数K_c参考值见表3,岩土初始松散系数见表4。

表3　弃渣场沉降系数 K_c 参考值

岩土类别	沉降系数	岩土类别	沉降系数
砂质岩土	1.07~1.09	砂黏土	1.24~1.28
砂质黏土	1.11~1.15	泥夹石	1.21~1.25
黏土	1.13~1.19	亚黏土	1.18~1.21
黏土夹石	1.16~1.19	砂和砾石	1.09~1.13
小块度岩石	1.17~1.18	软岩	1.10~1.12
大块度岩石	1.10~1.12	硬岩	1.05~1.07

表4　岩土初始松散系数

种类	砂	砂质黏土	黏土	带夹石的黏土	最大边长度小于30cm的岩石	最大边长度小于30cm的岩石
初始松散系数	1.1~1.2	1.2~1.3	1.24~1.3	1.35~1.45	1.4~1.6	1.45~1.75

(2)各类弃渣的堆置自然安息角与含水量有一定关系,含水量大,自然安息角小。表12.2.3-3提供了弃渣堆置自然安息角的参考数据。自然安息角或安息角为散料在堆放时能够保持自然稳定状态的最大角度(单边对地面的角度),而不是设计所要求的稳定角度,设计边坡角度不大于自然安息角/安全系数,并考虑使用期顶部可能荷载、水浸等因素可能对自然安息角的影响,安全系数根据弃渣场级别和稳定计算方法选取表5.7.4-1和表5.7.4-2中正常运用工况时的安全系数。

(3)影响弃渣场堆渣高度和各台阶高度的因素较多,其中场址原地表坡度和地基承载力为主要因素。干旱、半干旱地区,台阶高度取大值;湿润、半湿润地区,台阶高度取小值。若采用多台阶弃渣,原则上要控制第一台阶高度不超过15m~20m为宜;当地基为倾斜的砂质土时,第一台阶高度不应大于10m。

12.2.5 本条说明如下:

2 弃渣场无渗流主要是指地下水较深,弃渣后渣体内无水;稳定渗流是指渣体内存在稳定的地下水流或渣场临水面水位较稳定,变幅较小。

6 弃渣用于填塘或填坑时,不存在失稳的可能,无需稳定计算。

12.3 拦挡工程设计

12.3.2 鉴于现行行业标准《水工挡土墙设计规范》SL 379针对1级~3级水工建筑物中的挡土墙及独立布设的1级~4级水工挡土墙,考虑到水土保持中挡渣墙的设计级别较低,因此,结合《公路挡土墙设计与施工技术细则》(人民交通出版社,2008),对挡渣墙的设计进行了适当简化。

12.3.3 拦渣堤的设计标准应符合河流治导规划的要求,实际上一般不应高于堤防工程设计规范规定的设计标准。

12.3.4 拦渣坝设计说明如下:

(1)工程区适合筑坝的土料丰富时,宜选择土坝。当基础为坚硬完整的新鲜岩石,弃石中不易风化块石含量较多时,宜选择砌石坝。否则,应充分利用弃土、弃石、弃渣等修筑土石混合坝,以降低工程造价。

(2)滞洪式弃渣场拦渣坝适用于弃渣堆放于深窄沟谷中、没有适宜的坝址条件或施工不便的情况下,在其下游选择适宜坝址筑坝拦渣,多采用砌石或混凝土溢流坝方案。工程中由于投资及地质等因素限制,应用较少。

(3)截洪式弃渣场拦渣坝在西南水电建设项目中应用较为普遍;其他地区,一般选择面积较小的流域,采用竖井、涵洞型式排水,相对而言采用首建初级坝、多次成坝方案比较经济,应用较为普遍。

12.3.5 围渣堰是平地型弃渣场的围挡措施。

13 土地整治工程

13.1 引洪漫地

13.1.1 引洪漫地工程指水土流失地区在暴雨期间引用坡面、道路、沟壑与河流的洪水淤漫耕地或荒滩的工程。我国目前根据洪水来源，将引洪漫地工程分为坡洪、路洪、沟洪、河洪四类。当坡地的中、下部是水平梯田，其上部与中部是荒坡、坡耕地或林草地，暴雨中大量地表径流形成坡洪，可引入水平梯田进行漫灌；暴雨期间从坡地和农田中排出的大量地表径流，汇集于道路网形成路洪，可引入漫灌道路两旁低于路面的水平梯田或其他平整农田；在沟道的中、下游两岸有位置较低的成片沟台地，或在沟口以外附近有成片的川台地或涧滩地，当沟中洪水含沙量较高而且有条件进行控制引用（集水面积宜为 $1km^2 \sim 2km^2$），可引沟洪漫地；暴雨期间有高含沙量洪水的中、小河流，两岸有大片平整农地或荒滩地，位置较低，经工程控制，可引进河洪漫灌农地，提高产量，或淤漫荒滩，改造为农田。

引坡洪和路洪一般不需专门修建建筑物。引坡洪时，梯田区上部的截水沟拦截上部坡洪，可防止冲坏梯田。与截水沟相连的排水沟，将坡洪从梯田两端逐台下排时，可用锄、锹就近取土，在排水沟中做成临时小土挡，有控制地将坡洪全部或部分逐台引入梯田漫灌。引路洪时，只需在暴雨期间用锄、锹等小型农具，就近取土，在路边做临时小土挡，将路洪引入地中。

引沟洪时，需修建拦洪工程、引洪工程、渠系工程和田间工程。拦洪工程、引洪工程通常是在沟中修 $5m \sim 10m$ 高的拦洪坝，主要是抬高洪水水位，坝的一端或两端修排量较大的溢洪道，下接引洪输水渠系，暴雨期间能将沟中洪水大部引入农地漫灌。渠系一般设干渠、支渠两级,引洪干渠上接溢洪道、下设支渠,将洪水引入农地。而作为漫灌区的沟台地与川台地,都需事先进行平整,将缓坡地修成宽面低坎的水平梯田,田边有蓄水埂,并需做好进水口与出水口。

引河洪与引沟洪类似,需修建引洪渠首工程、渠系工程和田间工程。渠首工程分有坝引洪与无坝引洪两类,根据地形条件,分别采取不同的工程结构。渠系一般由干渠、支渠、斗渠三级组成,干渠上接渠首,下设若干支渠,支渠下设若干斗渠,由斗渠将河洪引入农田。田间工程是以渠系为骨架,将漫灌区分为若干小区,每一小区再分若干地块。每一地块应做好蓄水埂与进水口、出水口。

13.1.4 洪漫区田间工程串联式、并联式或混合式等漫灌方式见图7。

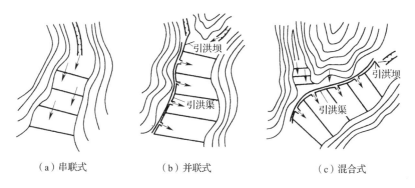

(a)串联式　　(b)并联式　　(c)混合式

图7　三种漫灌方式平面示意

(1)串联式:斗渠在洪漫小区地块最高处,控制洪漫面积为狭长地形,地面坡度3°左右,将地面分成若干矩形小块,每块面积$0.1hm^2 \sim 0.2hm^2$,地边围埂,形成高0.3m~0.5m台阶,上一台的出水口即为下一台的进水口,相邻两台进水口应左右错开,最下一台的出水口下连排水渠。

(2)并联式:斗渠在洪漫小区地块的较高一侧,控制洪漫面积地块坡度1°左右,将地面建成若干矩形大块,每块面积3hm²~

$4hm^2$,每块在斗渠一侧的最高处为进水口,另一侧最低处为出水口,并在洪漫小区地块较低的一侧与斗渠平行设置排水渠,与各出水口相连。

(3)混合式:在地形比较复杂的洪漫区内,有的斗渠控制的小区面积内采取串联式,有的斗渠控制的小区面积内采取并联式,形成混合式,以迅速、均匀地将洪水漫到各地块。

13.1.6 引洪闸底应高出河床0.5m以上主要是为防止推移质进入洪漫区。

13.1.7 根据陕西等地的经验,渠道常采取大断面、大比降,以保证在短时间内尽快将水输送到田间。而渠系分级不宜过多,一般采用二级或三级渠道。干、支渠都不宜过长,但条数可以多些,多引快用。引洪渠多采用梯形宽浅式断面。引洪渠系设计主要是确定引洪渠的断面、比降等参数,一般情况下,缺少实验的条件,根据众多工程的实际经验,引洪渠比降一般可取0.2%~1.0%。而为保证渠道的安全,在确定断面尺寸和比降等参数时,需考虑不冲不淤流速,在引洪渠系设计中,不同流量的不淤比降可按表5确定,不同土质渠道允许最大流速可按表6确定。

表5 引洪渠不淤比降

流量(m^3/s)	0.5	1.0	2.0	3.0	5.0
比降(%)	1.0~2.0	0.7~1.0	0.5~0.7	0.4~0.5	0.3~0.4

表6 土质渠道允许最大流速

渠道土质	轻壤土	中壤土	重壤土	黏土
允许最大流速(m/s)	0.6~0.8	0.65~0.85	0.75~0.95	0.80~1.00

13.2 引水拉沙造地

13.2.4 按定额法计算,一般沙粒较粗、运送距离较远、拉沙坡度较小时用水量较大,可根据实际情况在定额范围的中上限选值。

13.3 生产建设项目土地整治

13.3.1 土地整治是指对被破坏或占压的土地采取措施,使之恢复到期望的可利用状态。其目的是最大限度地恢复土地生产力、提高资源利用率。工程施工中,开挖、回填、取料、清淤及堆放弃渣等施工扰动或占压地表形成的裸露土地,以及工程管理范围内未扰动、根据水土保持要求需要采取措施的裸露土地,在恢复植被或耕作前应采取土地整治措施。

工程永久征地范围内的裸露土地和未扰动土地一般恢复为林草地。工程临时占地原土地利用类型原为耕地的,一般恢复为耕地;其他一般恢复为林草地。

13.3.2 土层较厚的平原区、山丘区可采用机械方式剥离表土。西南土石山区土层厚度 0.20m 以上的,优先采用机械剥离,厚度 0.2m 以下的视其具体情况可采取人工辅助机械剥离;土层较薄的山丘区、高寒草原草甸区必要时可采用人工剥离方式。

13.3.4 表 13.3.4 是根据各地实际土壤资源状况与农作物、林木、草的生长需求确定的。有条件的地区,耕地的耕作层厚度一般要求 0.3m 以上,但西南土石山区由于土壤资源匮乏,结合近年来多项生产建设项目的实际情况,本规范规定了西南土石山区耕地覆土厚度 0.20m～0.50m 的要求,当土方来源充足时,应优先考虑耕地覆土厚度 0.3m 以上。另外,缺土、少土地区也可采用客土造林、带土球造林的方式,减少覆土量。

13.3.6 因各地土壤特性不同,土壤改良措施差别较大。本条规定均为具有普遍性的改良措施,具体设计时应结合当地农业生产实践有关土壤改良经验或经试验确定。

13.3.9 临时征地结束使用后改变土地用途的,应符合土地利用规划有关要求。

13.3.10 坑凹是基建和生产过程中挖掘形成的,主要可分为两种情况:一是剥离坑凹,如取土场、取石场、取沙场、路基两侧取土后未回填的基坑、小型浅层露天采场和大型深层露天采场等；二是塌陷凹地，如井巷开采产生塌陷地等。

对于矿坑地复垦成为农林草用地的，在干旱、半干旱地区凹形采石（挖砂）场可首先利用岩石碎屑平整采石场坑凹，然后铺覆0.3m厚的黏土防渗层；在黄土区或有取土条件的地方，在平整土地表面覆土；在土料缺乏的地区，可先铺一层易风化岩石碎屑，改造为林草用地；在降水量丰沛、地下水出露地区，当凹形取石场（挖砂场）周边有充足土料时，采用岩屑、废砂填平坑凹，表层覆土，将取石场改造为农林用地；若缺乏土料，则采取坑凹平整和边坡修整加固工程，将其改造成蓄水池（塘）作为水产养殖用地。

13.3.11 本条说明如下：

2 采空塌陷区裂缝（漏斗）治理一般采取填充措施，较宽的裂缝可直接填充，裂缝很窄时需要在表层适当扩口后再填充。扩口开挖深度一般以不超过3m为宜。裂缝填充物也可以使用其他固体废弃物（如煤矸石），一般以不污染水源和土壤为原则。

14 支毛沟治理工程

14.1 一般规定

14.1.1 华东低山与丘陵区近几年也开展了一些支毛沟治理工作,沟头防护工程多结合河道整治和水环境治理工程实施,西南、华南地区土层薄,谷坊措施用得比较少。

14.1.5 根据小流域治理信息反馈,谷坊(除植物谷坊外)出口处如果不配套防护措施,径流量大时将在谷坊坝体两侧产生侧蚀,在出口坝脚处产生下切侵蚀。

14.2 工程布置

14.2.1 沟头防护工程应与谷坊、淤地坝、小型蓄水工程等措施互相配合。当沟头以上集水区面积小于 $5hm^2$ 时,宜采用蓄水型沟头防护,根据沟头坡面完整或破碎情况,可做成连续围埂式;集水面积大于 $5hm^2$ 时,宜采用排水型沟头防护,当沟头陡崖(或陡坡)高差小于 5m 时宜修建跌水式沟头防护,当沟头陡崖高差大于 5m 时宜修建悬臂式沟头防护;集水面积大于 $10hm^2$ 时,围埂不能全部拦蓄沟头以上来水量,应布设相应的治坡措施与小型蓄水工程,以减少地表径流汇集沟头。

14.2.2 谷坊工程应与沟头防护、侵蚀沟防护林(草)等措施互相配合,获取共同控制沟壑侵蚀的效果;编织袋谷坊必须与沟头防护工程、沟坡稳定工程等沟壑治理措施互相结合配置,以避免编织袋风化后造成谷坊群水毁;坡角大于 35°且沟坡植被较少,线型不规整的侵蚀沟,布置削坡整形措施,将坡角削坡至 35°以下;分布在耕地中的侵蚀沟不宜采用石质工程措施,应采取填沟措施,以免影响机械作业;因上游集水面积大而形成的汇流冲刷产生的侵蚀沟,结合谷坊、沟头防护等措施布设暗管排水措施,使一部分地表径流由地下排出,以分散地表径流,减少径流对沟道的侵蚀;埂带适宜布设在深度小于 1.5m 的宽浅型侵蚀沟。

14.2.3 因比降特大(15％以上)或其他原因而不能修建谷坊的局部沟段,可在沟底修水平阶、水平沟造林,并在两岸开挖排水沟,保护沟底造林地。

14.3 沟头防护设计

14.3.1 蓄水型沟头防护应开沟取土筑埂,分层夯实,沟中每 5m～10m 修一小土挡,防止水流集中。

14.4 谷 坊 设 计

14.4.2 矩形溢洪口布设在浆砌石谷坊、干砌石谷坊、混凝土预制块谷坊和石笼谷坊的坝顶中间部位;梯形溢洪口布设在土谷坊和编织袋谷坊顶部,上下两座谷坊溢洪口宜左右交错布设,土谷坊溢洪口堰及下游斜坡应砌石或混凝土防护。

14.4.4 质量要求较高的浆砌石谷坊应作坝体稳定性分析。在谷坊墙体设置排水孔,径流量大时使水能尽快泄出,保证谷坊坝体的稳定性。

14.4.5 石笼可用铁丝编成网格,格眼尺寸 100mm～120mm,网内用块石填充,形成铁丝石笼。石笼体横断面为矩形,长 0.6m～0.8m,高和宽各 0.4m～0.6m。石笼从下向上分层垒砌,上下层石笼之间品字形交错排列,错缝砌筑,并逐层向内收坡。石料应填满铁丝石笼,石块厚度不应小于 200mm,石笼间接缝宽度不应大于 20mm,并用铁丝固定形成整体结构。

14.4.7 用编织袋装 80％容积的土,以线绳缝好袋口,顺沟道方向从下向上分层摆放,并按设计边坡逐层向内收坡;摆放编织袋时各袋间要靠紧压实,袋与袋间首尾相连;表层编织袋装土应事先拌进灌木种子,编织袋摆放好后,将表层编织袋扎孔。

14.4.9 柳桩编篱型谷坊最好采用新鲜的柳桩树或杨桩,且桩牙眼向上,以便树桩成活。如果施工区没有适宜的柳树桩、杨树桩,也可用其他树桩代替,并在木桩周边(紧邻)插3株～5株柳条。

14.5 堡带设计

14.5.1 修筑堡带:先用推土机将沟沿两侧的表土推至一旁,将生土推向沟底,使V形沟形成宽浅式U形沟,回填的生土要达到原沟深的2/3。最后将表土回填、铺匀,并实压。然后从沟头开始,沿沟的纵向每隔15m～50m,横向用推土机在沟底推出砌堡沟槽,植堡前必须夯实填方的底土,堡块沿沟槽错缝砌筑;砌筑堡块后覆土20m～50m,充填堡块之间空隙,用土压实堡带边缘,防止漏风。堡带的长度为沟宽。堡块要随挖随砌,以确保堡草的成活。最后在堡带两端、沟沿或堡带间隔的空地栽植柳条,形成林草泄洪带,以达到固持沟底、防止冲刷的目的。

14.6 削坡设计

14.6.1 沟坡较陡的侵蚀沟削坡至35°,使沟边坡处于稳定状态,削坡土方根据实际需要垫沟底,见图8。

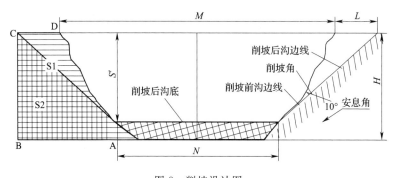

图8 削坡设计图

14.7 秸秆填沟设计

14.7.1 耕地中分布的小型侵蚀沟削坡后,回填土方和作物秸秆,见图9和图10。技术方法如下:

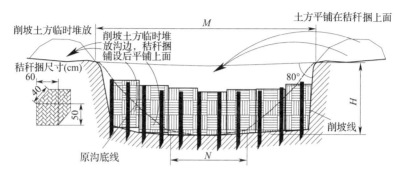

图9 秸秆填沟设计图(立面图)

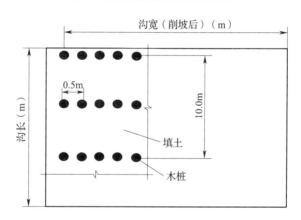

图10 秸秆填沟设计图(俯视图)

(1)削坡、打木桩:首先对侵蚀沟进行削坡处理,削坡角度接近直角,土方临时堆放于沟边;沿沟底间隔3m左右打入一排木桩,木桩长1m~1.5m,直径50mm~70mm,埋入地下0.5m左右,行距0.5m。

(2)秸秆打捆:将秸秆(麦秸、豆秸)打捆,秸秆捆尺寸(长×宽×高)为0.6m×0.4m×0.5m,沿沟底铺设一层。

(3)填土:将削坡土方平铺在秸秆上面,土方平铺厚度为400mm~500mm。由于秸秆的透水性好,雨水经侵蚀沟底排走,减少土壤流失。侵蚀沟治理后不影响耕地的完整性,利于机械化作业,提高耕地利用率。

15 小型蓄水工程

15.1 一 般 规 定

15.1.2 干旱、半干旱地区小型蓄水工程可作为人畜饮水和抗旱点浇水源。

15.2 工 程 布 置

15.2.2 蓄水工程所需容积的计算与一般水库调节计算的方法相同。

15.3 水 窖 设 计

15.3.2 西北、华北地区蓄水工程多用混凝土拱底顶盖水泥沙浆抹面窖,该窖型主要由混凝土现浇弧形顶盖、水泥沙浆抹面窖壁、三七灰土翻夯窖基、混凝土现浇拱形窖底、混凝土预制圆柱形窖颈、进水管等 6 部分组成。水窖的直径可由公式(2)确定:

$$D=(4V/\pi\beta)^{1/3} \tag{2}$$

式中:D——水窖内径(m);

V——水窖容积(m^3);

β——深径比,$\beta=H/D$,对于蓄存饮用水的水窖而言 $\beta=1.5\sim2.0$,以灌溉为主的水窖最大直径不超过 3.5m。

混凝土球形窖主要包括现浇混凝土上半球壳、水泥沙浆抹面的下半球壳、两半球壳接合部圈梁、窖颈、进水管等几部分。球形窖下部土基应进行翻夯,翻夯深度不小于 0.3m,夯实后干容重不低于 $1.5t/m^3$。混凝土现浇球形窖的直径可按式(3)计算确定:

$$D=(6V/\pi)^{1/3} \tag{3}$$

水泥沙浆抹面窖窖由工作窖(取土、进水、取水用)和蓄水窖洞两部分组成。工作窑宽度及高度宜为1.5m,蓄水窑宽度和高度宜取为3m。

西南地区多用隧洞式水窖,适于农产居住较集中的地方,以拦蓄径流为主,可作生产和生活用水。窖址应选择在较完整的砂岩或地质情况较好的地方,天然汇水面积内植被较好,距污染源远,离住房或耕地近,地势较高,以利自然取水。窖体形式采用下为长方形,上为半圆拱的隧洞式,其容积按灌溉面积、人畜饮水数、缺水时间及汇水面积而定。窖底纵坡1/500,洞门预留检查口,平时应密封。在水窖附近建沉沙过滤池,其大小视集水面积而定,一般池长2m,宽1m,深1.5m。利用引洪沟拦蓄径流,经沉沙过滤处理后用钢管或暗沟引水入窖储蓄。使用时可直接用钢管输水到农产或用软管浇灌农作物和果树。有条件的地方还可发展滴灌和自压喷灌。

15.4 蓄水池设计

15.4.1 V_w值与V_s值的计算分两种情况:

(1)蓄水池与坡面小型蓄排工程配套使用时,与坡面排水沟相连,并以沟中排水为其主要水源时,其V_w值与V_s值根据排水沟的设计排水量和淤积量计算。

(2)蓄水池独立设置时,需独立计算暴雨径流量时,采用式(11.3.6-2)、式(11.3.6-3)计算V_w值与V_s值。

15.4.2 西南地区隐蔽式蓄水池主要储蓄饮用水,兼作生产用水。水源一般以泉水或井水为主。丰水期储藏,枯水期使用。规模都在50m³以上,能满足一般农民家庭使用。其结构形式有方形、圆形,采用M7.5水泥沙浆砌标砖或条石护壁,M10水泥沙浆抹面,C15混凝土护底,C25钢筋混凝土预制板密封并覆土,覆土厚度0.3m~0.5m。

西南地区开敞式蓄水池以灌溉为主,拦蓄径流储存。其结构形式多为圆形,采用M7.5水泥沙浆砌标砖或条石护壁,M10水泥沙浆抹面,C15混凝土护底,厚度100mm,并设置梯步和栏杆等便民安全设施。安砌梯步在护底完成及养护后进行。梯步侧墙放大脚,梯步下为空洞,减少所占体积。栏杆为砖砌,高度为0.7m。蓄水池容积一般在50m³以上,能保证4亩旱地作物或果树生长期需水量。池面可搭棚或种植常绿植物以减少蒸发,还需有引水、排水、沉沙设施。引排水沟用M7.5水泥沙浆砌标砖或石板护砌。尺寸为:宽0.3m、深0.5m。沉沙池用M7.5水泥沙浆砌标砖或条石护壁,M10水泥沙浆抹面,C15混凝土护底,尺寸一般为:长2m,宽1m,深1.5m。

15.6 涝池设计

15.6.1～15.6.3 涝池的容积应满足以下条件:能充分蓄存平水年雨洪径流,并应根据沟岔流域面积、集流面状况和最大暴雨洪水量进行校核。宜适当增大涝池、塘坝深度,减少水面面积以减少蒸发损失。黄土地基上的涝池应采用沥青玻璃布油毡和塑膜防渗。塑膜可选用聚乙烯或聚氯乙烯膜,厚度0.15mm～0.2mm为宜。

16 农业耕作措施

16.1 一 般 规 定

16.1.1 每一种农业耕作措施可能同时具有几种功能，分类是根据其主要功能进行的，实际上各项措施根据实际应用条件可以联合使用。如少耕免耕既有增加地面覆盖的作用，同时也有改变土壤物理化学性质的作用；抗旱丰产沟则是由改变微地形措施与覆盖措施相结合，或再加上改土培肥的复合式耕作措施，如等高垄作与免耕覆盖相结合的聚土免耕垄沟种植法。

16.2 改变微地形措施

16.2.1 等高耕作是沿坡地等高耕作的一种技术，坡度小于25°的坡耕地均可采用等高耕作技术，坡度小于10°的缓坡的效果最佳，随着坡度的增加，其蓄水保土作用降低，一般坡度越小适应坡长越长，2°以下最大坡长可达120m，当坡度为20°~25°时，最大坡长仅为15m~18m。等高耕作常与截流沟、地埂植物带等措施配套使用。

16.2.2 单埂主要应用于年均降水量500mm以下的地区。东北黑土区降水量相对丰富，坡面易产流。双埂的地埂是截流沟和地埂植物带的结合体。地埂上种植的植物主要包括胡枝子、紫穗槐、柠条、桑条、草木樨、马莲、黄花菜等。

根据有关研究成果，埂间临界距离可采用下式计算：

$$L = \frac{v_{\max}^2}{m^2 C p \varphi} \tag{4}$$

式中：L——临界距离(m)；

$v_{\max}$——地埂植物带间开始发生土壤侵蚀的临界流速，可取

0.15m/s 或 0.16m/s;

m——流速系数,根据地形切割度大小而定,其值可取 1.0～2.0;

C——径流系数;

p——10 年一遇 24h 最大降水强度(m/s);

φ——根据坡降与地面糙率决定的系数,其值可取 $7\sqrt{i}\sim30\sqrt{i}$,i 为地面坡降。

16.2.3 根据有关研究成果植物篱设计,满足耕作所需要的最小带间距为:

$$L_T = 1.5/\cos\alpha \qquad (5)$$

式中:α——坡耕地坡度。

植物篱根系胁迫水平宽度为:

$$W_R = D_R/2\cos\alpha \qquad (6)$$

式中:D_R——根系幅度(m)。

林带遮荫范围计算公式为:

$$L \approx H \cdot \coth \qquad (7)$$

$$D = L \cdot \sin(A+\beta) \qquad (8)$$

式中:L——树木荫影长度(m);

H——平均树高(m);

D——林带荫影边缘距林带的距离(m);

β——林带走向;

A——太阳方位角;

h——太阳高度角。

16.2.4 沟垄种植是在等高耕作的基础上改进形成的,是在坡面上沿等高线开犁,形成沟和垄,北方在沟内、南方在垄上种植农作物,以此法进一步发展形成适应不同区域的耕作法。

是播种时起垄应由牲畜或机械带犁完成,在地块下面不犁,从第二犁位置开始,顺等高线犁出第一条犁形成第一道垄,畜力开沟深度小,机械开沟深度大,垄顶至沟底深约17cm～30cm,将种子、肥料撒在犁沟内;在此犁沟上部犁半犁深,虚土覆盖犁沟中的种子、肥料;再空一犁宽地面不犁,在其上部顺等高线犁出第二条犁沟,向下翻土,形成第二道垄沟相间,此后照此步骤依次进行。

2 垄作区田是在等高耕作的基础上发展形成的适用于东北黑土区的耕作法,是在垄沟内间隔一定距离修建小土隔挡形成区田,分散径流,加强降水入渗。根据试验,6°～15°的坡地上,最佳间距为0.4m～1.9m,最大0.5m～7.4m,坡度越缓间隔越小。

3 川中丘陵紫色土地区的坡耕地,在等高耕作的基础上,创造了格网式垄作制,其基本原理类同于垄作区田,仅在操作和作物布局上有所不同。

4 畦状沟垄适于我国南方地区红薯等作物,由人工操作。

5 蓄水聚肥改土耕作法是从坡耕地下边开始,离地边约0.3m,顺等高线方向开挖宽约0.3m的一条沟,深0.2m～0.25m,将挖起的表土暂时堆放在沟的上方;将沟内生土挖出,堆在沟的下方,形成第一条土埂;将沟底用锹翻松,深0.2m～0.25m;将沟上方暂时堆放的表土推入沟中;同时将沟上方宽约0.6m、深约0.2m的原地面上的表土取起,推入沟中,大致将沟填满;在0.6m宽去掉表土的地面上,将上半部0.3m宽位置挖一条沟,深0.2m～0.25m,挖出的生土堆在下半部0.3m宽位置上,做成第二条土埂;将第二条沟底翻松,深0.2m～0.25m;将第二条沟底上方约0.6m宽的表土取起约0.2m深,推入第二条沟中,按此继续操作,直到整个坡面都成生土作埂,表土入沟,沟中表土和松土层厚深0.3m～0.4m。

16.2.5 一钵一苗法是在坡耕地上沿等高线用锄挖穴(掏钵),以作物株距为穴距(宜取0.3m～0.4m),以作物行距为上下两行穴间行距(宜取0.6m～0.8m);穴径宜取0.2m～0.25m,上下两行穴的位置呈"品"字形错开;挖穴取出的生土在穴下方做成小土埂,再将穴底挖松,从第二穴位置上取0.1m表土置于第一穴内,施入底肥,播下种子;以后逐穴采取同样方法处理。

一钵数苗法是在坡耕地上顺等高线挖穴,穴的直径约 0.5m,深约 0.3m～0.4m。挖穴取出的生土在穴下方做成小土埂。穴间距离约 0.5m;将穴底挖松,深 0.15m～0.2m,再将穴上方约 0.5m×0.5m 位置上的表土取起 0.1m～0.15m,均匀铺在穴底,施入底肥,播下种子,根据不同作物情况,每穴可种 2 株～3 株;以作物的行距作为穴的行距,相邻上下两行穴的位置呈"品"字形错开。

16.3 覆盖措施

16.3.1 对原来有轮歇、撩荒习惯的地区,应采用草田轮作,代替轮歇撩荒。

　　2 短期轮作草种有毛苕子、箭舌豌豆等,长期轮作草种有苜蓿、沙打旺等。

16.3.2 间作可分为高秆作物与低秆作物间作、深根作物与浅根作物间作、早熟作物与晚熟作物间作、密生作物与疏生作物间作、喜光作物与喜阴作物间作、禾本科作物与豆科作物间作等类型。

16.3.4 带状间作:在陡坡地条带宽度小些,缓坡地条带宽度大些;条带上的不同作物,每年或 2 年～3 年互换一次,形成带状间作又兼轮作。

在地多人少、坡度较陡地区,草带宽度可比作物带宽度大些;相反则草带宽度可比作物带宽度小些;每 2 年～3 年或 5 年～6 年将草带和作物带互换一次,但互换后需调整带宽,使草带与作物带保持原来的宽度比例。

16.3.5 在水肥条件较好的地区,较大幅度提高作物的植株密度,可同时缩小株距与行距,或只缩小一种间距;水肥条件较差的地区,顺等高线适当加大行距而缩小株距,实行等宽密植,保持总植株适量增加。

16.3.6 如因故不能在作物收获前套种绿肥,则应在作物收获后尽快播种,并配合做好水平犁沟。

16.3.7 秸秆还田是少耕、免耕技术的一个组成部分,也可单独成为一个部分;秸秆还田后应补施氮肥,避免微生物与作物幼苗争夺养分;秸秆还田时间越早越好。玉米、高粱等秸秆可全部还田;秸秆还田后应加强病虫害防治。

砂田覆盖是西北干旱半干旱水蚀风蚀地区的一种古老的耕作法,也是一种免耕法,是将河卵石、冰碛石与粗砂混合后覆盖于地表,直接种植,旱砂田寿命可达 20 年~40 年,水砂田也可达到 7 年~10 年。

16.3.8 在黑土区,少耕免耕适用坡度大于 3°的农耕地。少耕免耕可采用免耕播种机作业,耕作时除播种或注入肥料外,不应再搅动土壤,且不应进行中耕作业。少耕免耕覆盖同时具有改良土壤的作用,也是一种改良土壤措施。

16.4 改良土壤措施

16.4.1 耕松深度应以打破犁底层,提高土壤入渗能力为原则。应根据土壤质地、地形、栽培作物种类及深耕方法确定,以打破犁底层为宜;深松时避免打乱土层;深松后应立即进行耙压,蓄水保墒。深耕宜在每年秋季农作物收割完成后或第二年春季播种前进行,也可在最后一次中耕封垄作业完成后进行。

16.4.2 增施有机肥促进土壤形成团粒结构,提高田间持水能力和土壤抗蚀性能,特别是新修梯田生土熟化采用有机肥、化肥、黑矾配方施用,可在 1 年内起到恢复肥力的作用。

16.4.3 留茬播种具有保墒保水作用,且利用夏季高温高湿条件,残茬部分腐烂后可以培肥地力。

17 固沙工程

17.1 一般规定

17.1.3 本条规定了固沙工程设计所需基本资料,主要包括:

（1）地形图:1:50000～1:10000。

（2）遥感数据:大型工程宜采用遥感数据,应用地理星系软件解译,数据为每年8月。

（3）植被调查:主要调查植被类型:超旱生植被、旱生植被、沙生植被。主要乔木种类、灌木种类、草种,建群种,分布及面积、植被覆盖度、植被高度。

（4）沙丘及风蚀强度调查:

①地表覆盖物调查:戈壁、沙地（流动沙地、半固定沙地、固定沙地）、沙丘（流动沙丘、半固定沙丘、固定沙丘）、甸子地、地表结皮（膜）、林地（灌木林、乔木林）、草地。

②沙丘及风蚀强度调查:沙丘形状调查表见表7,土壤风蚀强度调查见表8。

表7 沙丘形状调查

项目	高度(m)	迎风坡坡度(°)	背风坡坡度(°)	间距(m)	面积(km²)
新月形沙丘					
金字塔形沙丘					
格状沙丘					
新月形沙垄					
穹状沙丘					
沙垄					

表8 土壤风蚀强度调查表

土地总面积(km²)	水土流失		其 中									
	面积(km²)	占总面积(%)	轻度(km²)	占总面积(%)	中度(km²)	占总面积(%)	强度(km²)	占总面积(%)	极强(km²)	占总面积(%)	剧烈(km²)	占总面积(%)

③沙丘前进速度:慢速类型:年移动速度小于2m;中速类型:年移动速度2m～5m;快速类型:年移动速度6m～20m;快速发展类型:年移动速度不小于20m。

(5)气象:在调查常规气象因子的基础上,还应调查起沙风速、起沙风速历时及在各月的分布、主风向、次风向,年沙尘暴日数,绘制风向玫瑰图。

(6)防风固治现状调查:植物措施、工程措施、化学措施、耕作措施、其他措施;沙化人为因素,治理情况。

(7)社会经济资料:该区域的人口、牲畜、支柱经济、土地利用、交通等。

17.2 防风固沙带设计

17.2.1 干旱风蚀荒漠化区,该区域年降水量小于200mm,日照时数不小于3000h,全年8级以上大风日数大于30d,植被以旱生和超旱生的荒漠植被为主。按地貌可分为戈壁、沙漠、绿洲,风蚀与风积并存。防风固沙带应以工程措施为主,植物措施、化学治沙措施为辅。

17.2.2 半干旱风蚀沙化地区,该区域年降水量200mm～500mm,为典型草原植被类型。因地表植被覆盖率的不同而呈现固定沙地、半固定沙地、流动沙地形态。风沙危害表现为风积、风蚀、沙打。防风固沙带应以植物措施为主,工程措施、化学治沙措施为辅。

17.2.3 高寒干旱荒漠、高寒半干旱风蚀沙化区,该区域海拔2800m以上,≥10℃积温不大于1500℃,防风固沙带应以工程措施为主,植物措施、化学治沙措施为辅,风沙危害表现为风积、风蚀。

17.2.4 半湿润平原风沙区,该区域年降水量500mm～800mm,地貌表现为"风沙化土地",降水、积温条件适于植物生长,主要分布在黄河故道。防风固沙带应以植物措施为主。

17.2.5 湿润气候带风沙区,该区域年降水量不小于800mm,主要分布于闽江、晋江、九龙江入海口及海南文昌等沿海,以及鄱阳湖北湖湖滨,赣江下游两岸新建、流湖一带。防风固沙带应以植物措施为主。

17.3 防风固沙措施设计

17.3.1 沙障工程是以增加地面糙度,削弱近地层风速,固定地面沙粒,减缓和制止沙丘流动,从而起到固沙、阻沙、积沙的作用。

沙障间距计算可按公式(9)计算:
$$d = h\cot\theta \tag{9}$$
式中:d——沙障间距(m);

h——沙障高度(m);

θ——沙丘坡度(°)。

沙障设计:

(1)高立式沙障:材料长0.7m～1.0m,高出沙面0.5m,埋入地下0.2m～0.3m。

(2)低立式沙障:材料长0.4m～0.7m,高出沙面0.2m～0.5m,埋入地下0.2m～0.3m。

(3)柴草或沙生植物枝茎作沙障,其稍端向上。

(4)黏土沙障、砾石沙障,埂高0.15m～0.2m,顶宽0.1m～0.2m,边坡1:1。

(5)网格间距为沙障出露高度的10倍左右。

17.3.3 不同地区树种选择说明如下：

（1）干旱沙漠、戈壁荒漠化区，树种选择宜采用杨树、胡杨、小叶杨、新疆杨、沙枣、白榆、樟子松等乔木；沙拐枣、头状沙拐枣、花棒、羊柴、白刺、柽柳、梭梭等灌木。株行距：乔木（1m～2m）×（2m～3m），灌木（1m～2m）×（1m～2m）。

（2）半干旱风蚀沙地，树种选择宜采用杨树、山杏、文冠果、刺槐、刺榆、新疆杨、樟子松、柠条、沙柳、黄柳、胡枝子、花棒、羊柴、白刺、柽柳、沙地柏等。

（3）高寒干旱荒漠、高寒半干旱风蚀沙化区，树种选择宜采用青杨、小叶杨、乌柳、柽柳、柠条、白刺、梭梭、沙拐枣、中国沙棘、枸杞、黄柳等。

（4）半湿润黄泛区及古河道沙区，树种选择宜采用油松、侧柏、旱柳、国槐、泡桐、枣、杏、桑、黑松、臭椿、刺槐、紫穗槐等。

（5）湿润气候带沙地、沙山及沿海风沙区，树种选择宜采用相思树、内侧湿地松、火炬树、加勒比松、新银合欢、大叶相思、黄瑾、路兜、木麻黄等。

17.3.4 不同地区草种选择说明如下：

（1）干旱沙漠、戈壁荒漠化区，宜采用沙米、骆驼刺、籽蒿、芨芨草、草木樨、沙竹、草麻黄、白沙蒿、沙打旺、披碱草、无芒雀麦等草种。

（2）半干旱风蚀沙地，宜采用差巴嘎蒿、沙打旺、草木樨、紫花苜蓿、沙竹、冰草、油蒿、披碱草、冰草、羊草、针茅、老芒雀麦等草种。

（3）高寒干旱荒漠、高寒半干旱风蚀沙化区，宜采用赖草、针茅、沙蒿、早熟禾、虫实、沙米、猪毛菜、芨芨草、冰草、滨藜等草种。

18 林草工程

18.1 一般规定

18.1.6 自然坡地和生产建设项目中经土地整治达到绿化条件的各类坡地,无需工程护坡时,可参考表9选择适宜的植物防护形式。

表9 坡面植物防护型式及其适用条件

防护型式	适用条件
种草或喷播植草	土质边坡;坡比小于1:1.25
铺草皮	土质和强风化、全风化岩石边坡;坡比小于1:1.0
种植灌草	土质、软质岩和全风化硬质岩边坡;坡比小于1:1.5
喷混植生	漂石土、块石土、卵石土、碎石土、粗粒土和强风化、弱风化的岩石路堑边坡;坡比小于1:0.75
客土植生	漂石土、块石土、卵石土、碎石土、粗粒土和强风化的软质岩及强风化、全风化、土壤较少的硬质岩石路堑边坡,或由弃土(石、渣)填筑的路堤边坡;坡比小于1:1.0
植生带(植生毯)	可用于土质边坡、土石混合边坡等经处理后的稳定边坡

18.5 造林整地

18.5.3 干旱、半干旱与半湿润整地规格宜通过林木需水量确定整地设计蓄水容积,并进行相应整地断面计算。干旱、半干旱与半湿润地区一般边坡的林草措施的整地深度等规格,应满足相应树种根系生长要求。具有抗旱拦蓄要求的坡面整地工程,其设计断面尺寸应根据林木需水量和相关坡面水文计算。

(1)从林木的水分需求与防止坡面径流冲刷安全方面考虑,通

过林木需水量计算容积,以暴雨径流校核工程的安全性,按下式计算:

$$V_0 = 0.001PkL \tag{10}$$

式中:V_0——单位宽度坡面总容积(m^3);

P——设计暴雨量(mm);

k——径流系数;

L——坡长(mm)。

(2)不同整地断面形式的设计蓄水容积安全要求满足$V \geqslant V_0$。常用的整地方法的计算如下:

①反坡梯田:田面向内倒倾斜成坡度较大的反坡,以造成一定的蓄水容积(图11)。当植树区的宽度(反坡梯田水平宽度)确定后,若挖方与填方相等,则单宽梯田的最大有效蓄水容积V按下式计算:

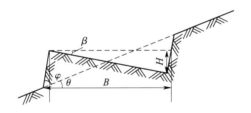

图11 反坡梯田示意图

$$V = \frac{B^2 \tan\beta}{2}\left(1 + \frac{\tan\beta}{\tan\varphi}\right) \tag{11}$$

式中:V——梯田的有效容积(m^3);

B——梯田田面的水平宽度(m);

β——梯田的反坡角(°);

φ——梯田的外坡角(°)。

梯田的反坡角β可用下式计算:

$$\beta = \arctan\left[\frac{\tan\varphi}{2}\left(\sqrt{1 + \frac{8V}{B^2 \tan\varphi}} - 1\right)\right] \tag{12}$$

②水平沟:断面如图12所示,沟顶宽为$B(m)$,沟底宽为

$d(\mathrm{m})$,外埂顶宽 $e(\mathrm{m})$,则实际栽植区占的水平宽度为 $B+e$,外侧坡度 φ 一般取 $45°$ 左右,内侧斜坡 φ_1 一般取 $35°$ 左右,里内侧斜坡 φ_2 一般取 $70°$ 左右,当自然坡度为 $\theta(°)$ 时,则单宽有效容积 V 可用下列公式计算:

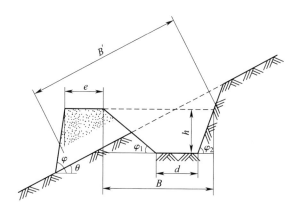

图 12　水平沟整地示意图

$$V = \frac{U\left(h+\dfrac{d}{2}\right)^2 - d^2}{2U} \tag{13}$$

$$U = \frac{1}{\tan\varphi_1} + \frac{1}{\tan\varphi_2} \tag{14}$$

③鱼鳞坑:参见图 13,形状似半月形坑穴,坑面一般取水平状,坑的两角设有引水沟,外侧坡度 ϕ 较大,底面半径一般取 $0.5\mathrm{m}\sim1.0\mathrm{m}$,埂顶宽 e 一般取 $0.2\mathrm{m}\sim0.25\mathrm{m}$。单个有效容积按下式计算:

$$V = \frac{1}{6}(R_1 + R_2)^2 h \tag{15}$$

式中:V——单个有效容积(m^3);
　　　R_1——底面半径(m);
　　　R_2——顶面半径(m);
　　　h——最高深(m)。

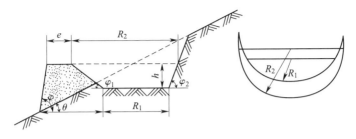

图 13 鱼鳞坑整地示意图

18.7 其他规定

18.7.2 北方砒砂岩地区采取的生物措施治理主要指以沙棘为主导的各类林草工程。实践证明沙棘林草工程是治理北方砒砂岩地区的最有效措施。

客土绿化措施近年来在生产建设项目领域应用比较广泛,适用于我国大部分地区,在干旱半干旱地区需配套灌溉设施。坡面客土绿化的主要技术有格状框条、小平台或沟穴修整种植、开凿植生槽、混凝土延伸植生槽、钢筋混凝土框架等。应用条件参见表10。

表 10 坡面客土绿化技术应用条件

防护型式	适用范围			绿化方向	技术特点
	边坡类型	坡比	高度		
格状框条	泥岩、灰岩、砂岩等岩质路堑边坡,以及土质或沙土质道路边坡、堤坡、坝坡等稳定边坡	<1:1	<10m	播种草灌铺植草皮	框格内客土栽植
小平台或沟穴修整种植	土质边坡、风化岩石或沙质边坡	<1:0.5	8m开阶	乔、灌、缘植物、下垂灌木(浅根、耐干旱贫瘠)	人工开阶客土栽植

续表 10

防护型式	适用范围			绿化方向	技术特点
	边坡类型	坡比	高度		
开凿植生槽	稳定的石壁	<1:0.35	10m开阶	乔、灌、攀缘植物、下垂灌木	植生槽规格长1m~2m、宽0.4m、深0.4m、客土栽植
混凝土延伸植生槽	稳定的石壁	<1:0.35	10m开阶	乔、灌、攀缘植物、下垂灌木	植生槽规格长1m~2m、宽0.4m、深0.4m、客土栽植
钢筋混凝土框架	浅层稳定性差且难以绿化的高陡岩坡和贫瘠土坡	<1:0.5	不限	植草	框架内客土栽植

喷播绿化措施是从日本和欧洲引进的一种技术,经过近年来实践,在我国又发展出一些新型材料和工艺,其主要适用于800mm降水量以上地区,以及具备持续供给养护用水能力的其他地区。主要技术有水力喷播植草、直接挂网+水力喷播植草、挂高强度钢网+水力喷播植草、厚层基材喷射植被护坡、钢筋混凝土框架+厚层基材喷射植被护坡、预应力锚索框架地梁+厚层基材喷射植被护坡、预应力锚索+厚层基材喷射植被护坡等。应用条件参见表11。

表11 喷播绿化技术应用条件

技术名称	适用范围			绿化方向	技术特点
	边坡类型	坡度	高度		
水力喷播植草	一般土质路堤边坡、处理后的土石混合路堤边坡、土质路堑边坡等稳定边坡	1:1.5	<10m	草/草灌	喷播按设计比例配合草种、木纤维、保水剂、粘合剂、肥料、染色剂及水的混合物料
直接挂网+水力喷播植草	石壁	<1:1.2	<10m	草/草灌	将各种织物的网(如土工网、麻网、铁丝网等)固定到石壁上,后水力喷播植草
挂高强度钢网+水力喷播植草	石壁	1:1.2~1:0.35	<10m	草/草灌	网下喷一层厚度为5cm~10cm的混凝土作为填层,后水力喷播植草
厚层基材喷射植被护坡	适用于无植物生长所需的土壤环境,也无法供给植物生长所需的水分和养分的坡面	>1:0.5	<10m	草/草灌	首先喷射不含种子的基材混合物,然后喷射含种子的基材混合物,含种子层厚度为2cm。基材混合物为绿化基材、纤维、种植土及混合植被种子按设计比例与混凝土的混合物

续表 11

技术名称	适用范围			绿化方向	技术特点
	边坡类型	坡度	高度		
钢筋混凝土框架+厚层基材喷射植被护坡	浅层稳定性差且难以绿化的高陡岩坡和贫瘠土坡	>1:0.5	<10m	草/草灌	覆盖三维网或土工格栅、种子、肥料、土壤改良剂等的混合料液压喷播,厚1cm~3cm
预应力锚索框架地梁+厚层基材喷射植被护坡	稳定性很差的高陡岩石边坡,且无法用锚杆将钢筋混凝土框架地梁固定于坡面的情况	>1:0.5	不受限制	草为主	厚层基材喷射;在框架内喷射种植基和混合草种,其厚度略低于格子梁高度2cm
预应力锚索+厚层基材喷射植被护坡	浅层稳定性好,但深层易失稳的高陡岩土边坡	>1:0.5	不受限制	草为主	液压喷播或厚基材喷射植被护坡

生态植生袋绿化是近年来出现一种新技术,适用于坡度小于1:0.35的土质边坡和风化岩石、沙质边坡,特别适宜于不均匀沉降、冻融、膨胀土地区和刚性结构等难以开展边坡绿化的区域。

(1)坡度较缓的可按坡面直接堆放;坡度较大时应采用钢索拦挡固定或与框格梁结合。需要配套灌溉设施的,应以滴灌、微喷灌为主,其设计参考有关规范执行。

（2）应以灌草措施为主，多树种、多草种混播。

18.7.4 园林式种植绿化中行道树设计应选择树木的品种和规划。必须选择树干值、生长健壮、无病虫害的优质树木，胸径应在6cm以上，栽植在机动车道两侧的行道树分枝点应高于3.5m，无中心立枝的树木必须有4根～5根一级主枝，长度不得小于35cm。

18.8 配套工程

18.8.1 在较大规模进行林草生态工程建设时，苗木用苗量大，苗木成活率要求高。为减少苗木运输损失，节省投资，应在造林地附近立地条件较好处配套建设苗圃。具体按现行行业标准《林业苗圃工程设计规范》LYJ 128执行。苗圃生产的苗木质量达到现行国家标准《主要造林树种苗木质量分级》GB 6000的要求。

18.8.2 在干旱地区营造具有生态功能的林草工程以及营造具有生产功能的林草工程时，需配套其他辅助生产工程设计。

18.9 工程施工

18.9.1 林草工程在施工结束后的管护措施包括浇水，松土，除草，补植、补播，应适时施肥，幼树管理等。

19 封 育 工 程

19.2 封 育 设 计

19.2.1 封育方式的选择除按本条执行外,在人为破坏严重的区域宜实行全封;在主要树种萌蘖能力强,且当地居民以林草作为主要燃料和饲料的封育区域进行半封;在薪炭林和饲用林(草)的封育区域进行轮封。

全封是指在封育期间,禁止除实施育林措施以外的一切人为活动的封育方式。在边远山区、江河上游、水库集水区、水土流失严重地区、风沙危害特别严重地区,以及恢复植被较困难的封育区宜采用全封。

半封是指在封育期间,林木主要生长季节实施全封,其他季节按作业设计进行樵采、割草等生产活动的封育方式。在有一定目的、树种生长良好、林木覆盖度较大的封育区宜采用半封。

轮封是指封育期间,根据封育区具体情况,将封育区划片分段,轮流实行全封或半封的封育方式。当地群众生产、生活和燃料等有实际困难的非生态脆弱区的封育区宜采用轮封。

19.2.2 设计标准符合乔木郁闭度、灌木覆盖度或每公顷保有林木数三项条件之一视为合格。无林地和疏林地封育中,乔木型应符合乔木郁闭度不小于0.20,或平均有乔木1050株以上,且分布均匀;乔灌型应符合乔木郁闭度不小于0.20、灌木覆盖度不小于30%,或乔灌木1350株/丛以上;灌木型应符合灌木覆盖度不小于30%,或有灌木1050株/丛以上;灌草型符合灌草综合覆盖度不小于50%,其中灌木覆盖度不小于20%,或有灌木900株/丛以上;竹林型有毛竹450株以上,或杂竹覆盖度不小于40%,且分布均匀。有林地封育中,封育小班应同时满足小班郁闭度不小于

0.60,林木分布均匀,以及林下有分布较均匀的幼苗3000株/丛以上或幼树500株/丛以上。灌木林地封育中,应满足封育小班的乔木郁闭度不小于0.20,乔灌木总盖度不小于60%,且灌木分布均匀。年均降水量在400mm以下的地区应根据实际情况,适当降低上述标准。

附录 A 水 文 计 算

A.1 一 般 规 定

A.1.3 无洪水、泥沙观测资料的,可利用各省、市(区)水行政主管部门批准颁布的最新《暴雨洪水图集》或《中国暴雨统计参数图集》(水文〔2005〕100号),以及各地编制《水文手册》提供的方法进行多种计算,通过分析论证,选用合理的设计洪水和输沙量成果。